W9-DBJ-557

Le ricanement des hyènes

la courte échelle

Camille Bouchard

Le ricanement des hyènes

la courte échelle

Les éditions de la courte échelle inc.
5243, boul. Saint-Laurent
Montréal (Québec) H2T 1S4

Directrice de collection:
Annie Langlois

Révision:
Sophie Sainte-Marie

Conception graphique de la couverture:
Elastik

Dépôt légal, 4e trimestre 2004
Bibliothèque nationale du Québec

Copyright © 2004 Les éditions de la courte échelle inc.

La courte échelle reconnaît l'aide financière du gouvernement du Canada par l'entremise du Programme d'aide au développement de l'industrie de l'édition pour ses activités d'édition. La courte échelle reçoit l'appui du gouvernement du Québec par l'intermédiaire de la SODEC.

La courte échelle bénéficie également du Programme de crédit d'impôt pour l'édition de livres — Gestion SODEC — du gouvernement du Québec.

Données de catalogage avant publication (Canada)

Bouchard, Camille
Le ricanement des hyènes
     ISBN 2-89021-767-1
     I. Titre.
PS 8553.0756R52 2004   jc843'.54   C2004-941305-8
PS 9553.0756R52 2004

Camille Bouchard

Voyageur passionné, Camille Bouchard a parcouru l'Asie, l'Afrique et l'Amérique du Sud. Il a traversé jungles et déserts, escaladé volcans et falaises, navigué sur les plus grands fleuves et foulé les rues de villes mythiques. Son œuvre porte la marque de ses voyages, de ces injustices dont il a été témoin partout dans le monde, de sa révolte face à la violence faite aux enfants. Camille Bouchard a publié plusieurs romans, dont *La marque des lions, Les démons de Bangkok* et *Les petits soldats*. Il collabore régulièrement à la revue *Alibis* consacrée aux polars.

À mon frère Angelo

1

Manuel: le Blanc qui est noir dans sa tête. C'est ainsi qu'on me surnommait. Depuis l'Éthiopie. Là-bas, en gouragué, on m'appelait aussi *Tebasamaw Fit*, «Visage avec des cicatrices», en raison des marques laissées par le passage d'une lionne lorsque j'avais quatre ans. Ça me singularisait davantage parmi mes compagnons africains et ça m'attirait également le respect.

Mon père et ma mère étaient deux médecins québécois engagés dans des causes humanitaires. À ma naissance, ils travaillaient déjà en brousse, au Kenya. Mon univers, c'était donc l'Afrique. Je connaissais très peu le Québec.

Depuis ma prime jeunesse, je n'allais au Canada que l'été, une année sur trois, pendant la saison des pluies africaines. Mes parents m'emmenaient alors visiter mes grands-parents.

Leurs histoires de large fleuve à traverser et de forêts à défricher me paraissaient des contes venus d'un autre monde. Je ne concevais pas non plus qu'on puisse tant redouter le froid et l'arrivée d'une étrange saison où l'on était enseveli sous de l'eau gelée. «C'est comme de la crème glacée», disait grand-papa.

Tandis que nous résidions encore en Éthiopie, mes parents avaient reçu le mandat de gérer une nouvelle clinique dans la brousse, au Burkina Faso, en Afrique occidentale. Nous avions alors déménagé une fois de plus. J'avais treize ans.

Nous vivions en pays sénoufo, dans une petite maison proprette un peu en retrait de la clinique où pratiquaient mes parents. Nous avions l'électricité et le téléphone, un véritable luxe dans cette région. Nous avions aussi notre puits dans la cour.

J'allais à l'école du village qui était subventionnée par un organisme de charité européen. Ça me faisait drôle: pour la première fois de ma vie, on m'enseignait en français. Au Kenya et en Éthiopie, j'avais des précepteurs anglophones. Le seul endroit où je parlais français était à la maison. Mes parents insistaient pour qu'on utilise cette langue afin de ne jamais la perdre. Sinon, à l'extérieur, nous parlions les dialectes locaux et l'anglais. Le Burkina Faso est une ancienne colonie de la France, et le français sert de langue véhiculaire aux diverses ethnies du pays qui parlent des dialectes différents.

Notre école était petite et divisée en trois classes.

Dans l'une, on trouvait les élèves de la première à la troisième année; dans la deuxième, les élèves de la quatrième à la sixième. Dans ma classe à moi, on regroupait les grands. Chaque niveau possédait son mur de classe avec son tableau.

Nos enseignants étaient de l'ethnie mossi et parlaient le moré. Pour être compris de leurs élèves bobos qui utilisaient le dioula, ils communiquaient en français. Cependant, dans les classes élémentaires, les élèves ne connaissaient pas cette langue. Les professeurs, usant de mimiques et de grimaces, parvenaient quand même à transmettre leur savoir.

L'après-midi, le soleil tapait trop fort pour que nous restions dans le bâtiment au toit de tôle. Les cours reprenaient plutôt vers seize heures jusqu'au petit soir, c'est-à-dire à la tombée du jour. Pendant que les adultes passaient les heures chaudes dans une douce oisiveté, nous, les jeunes, parcourions la brousse.

Ce matin-là, j'avais senti un malaise. Une simple faiblesse, comme lorsqu'on s'apprête à faire de la fièvre. Le trouble s'était estompé rapidement. Je n'en parlai à personne, croyant à un mal passager dû, peut-être, à mon repas avalé trop vite. Je l'oubliai d'autant plus facilement que je ne le ressentis plus de la journée.

Dans l'après-midi, Mamadou et moi nous amusions à briser les pans d'une termitière. Je remuais un bout de bois sur un groupe d'insectes surexcités quand j'entendis mon ami s'exclamer dans mon dos:

— Ça alors! La Soungoroni!

Je me détournai pour regarder dans la direction qu'indiquait son index. J'aperçus une silhouette vêtue d'un imposant boubou sombre, la tête et le visage enveloppés d'un long foulard. À pas rapides, repoussant les hautes herbes de la savane, elle se dirigeait à l'opposé du village, vers une colline couverte de manguiers. À sa démarche gracieuse, je notai qu'il s'agissait d'une adolescente ou, au plus, d'une très jeune femme.

— Qui? Comment l'as-tu appelée?

Mamadou demeurait figé à observer la silhouette au loin. Son profil, d'habitude dessiné de lignes douces, avec son nez plat et ses lèvres charnues, présentait des tics que je ne lui connaissais pas. Des spasmes à peine perceptibles agitaient les commissures de sa bouche, ses paupières et la racine de ses cheveux, sur les tempes. La fine sueur qui perlait sur son front à cause de la chaleur devint plus abondante. Sous sa chemise élimée, il tremblait. Il avait peur.

— Comment as-tu appelé cette fille? répétai-je, de plus en plus intrigué.

— La... la Soungoroni, répondit Mamadou. Elle vit dans le monde des esprits.

— Qu'est-ce que tu racontes?

Mamadou ne me regardait toujours pas. Il continuait

à fixer la silhouette qui s'éloignait.

À l'instar des habitants du village, mon ami était de l'ethnie bobo. Il avait à peu près mon âge, quoique ni lui ni ses parents n'en fussent certains. On savait seulement que, bientôt, dans une mousson ou deux au maximum, il subirait le deuxième des rites qui s'échelonnaient sur sept ans et qui permettaient de franchir les diverses étapes de la vie.

— C'est étrange, affirma-t-il.

J'attendis un moment, croyant qu'il préciserait sa pensée. Puisqu'il ne parlait plus, j'insistai:

— Quoi? Qu'y a-t-il d'étrange?

Il se tourna enfin vers moi, les lèvres pincées dans une expression maintenant plus étonnée qu'apeurée.

— Jamais elle ne sort en plein soleil. La lumière la tue.

— Allons, Mamadou! Qu'est-ce que c'est que ces histoires de?...

— Je t'assure, elle vit dans le monde des djinns, des esprits. Personne n'ose prononcer son prénom, comme s'il portait en lui-même une malédiction. Alors chacun l'appelle simplement la Soungoroni, la «jeune fille».

— Une malédiction? Son nom? Vous êtes bien supersti...

Des cris m'interrompirent. Au loin, la silhouette venait de perdre pied. Nous nous demandions pourquoi, lorsque soudain nous vîmes bondir une dizaine d'enfants qui s'étaient cachés dans les herbes. Âgés de huit à dix ans, armés de cailloux, ils attaquaient la jeune femme.

— Hé! arrêtez!

Sans hésiter, je m'élançai en direction du groupe qui jetait des pierres en hurlant des menaces en dioula. Je ne comprenais pas bien ce dialecte, mais je saisis, à travers les exclamations de haine, la peur qui imprégnait les propos.

— Arrêtez! *A bana*! Ça suffit! criai-je en arrachant les cailloux des mains des garçons que je parvenais à maîtriser. Vous allez la blesser! Assez, je vous dis!

Après que j'en eus bousculé deux ou trois, les garçonnets se calmèrent et m'observèrent, pantois, interdits. On ne distinguait plus la fille, étendue quelque part dans les hautes herbes, et personne ne semblait vouloir s'en approcher de trop près.

— Laisse-nous, Toubab! lança en français un garçon un peu plus grand que les autres. Tu ne la connais pas. C'est un esprit venu des morts qui n'a pas affaire avec les vivants.

— Si elle n'a pas affaire avec les vivants, répliquai-je, les vivants n'ont pas affaire avec elle non plus. Filez, sinon je me fâche.

— Toubab, on ne peut pas…

— J'ai dit: filez!

Hésitants d'abord, puis s'inclinant en maugréant, les enfants se dispersèrent un à un, non sans me jeter des regards contrariés.

Je les entendis marmonner quelques vagues menaces en dioula, dans lesquelles revenaient les mots «Toubab» et «Nasaara». Avec la variante «Toubabou», ces mots signifient «Blanc». Ça me changeait des épithètes «Ferenj» et «Mzungu» avec lesquelles on m'abordait en Éthiopie et au Kenya.

Ces qualificatifs n'ont rien de péjoratif ni de méprisant, c'est la façon habituelle de s'adresser à un Occidental. Cependant, moi, je me sentais aussi africain qu'eux, alors ça me peinait d'être perçu autrement.

— Manu, ne t'approche pas.

C'était Mamadou qui m'avait rejoint et constatait que je m'avançais vers la forme allongée sur le sol. J'arrêtai pour le regarder.

— Pourquoi?

— Elle... Elle va... Je ne sais pas, balbutia-t-il. Elle n'est pas normale. Laisse-la, elle n'a rien.

Je balayai l'air de la main pour marquer ma désapprobation. Je me détournai de lui et revins vers la fille.

— Ne sois pas ridicule, Mamadou. Je crois qu'elle est blessée.

Malgré la mine assurée que je tentais d'afficher, je me dirigeai avec prudence vers la silhouette un peu frêle couchée dans l'herbe. Le boubou était remonté sur ses chevilles et je notai avec étonnement que la peau de ses pieds avait une couleur étrange. Toutefois, puisqu'ils étaient très sales, je ne m'y attardai pas.

— Hé! ça va? demandai-je en me penchant vers la fille et en plaçant une main sur son épaule pour la secouer un peu. Es-tu blessée? Est-ce que tu parles français?

J'entendis une plainte, puis elle agita mollement la tête.

— Ça va?

Dans un mouvement brusque, elle se redressa en s'écartant de moi. Je reculai par réflexe. Durant une seconde, le temps qu'elle replace son foulard pour masquer ses traits, j'aperçus son visage. C'est moi qui poussai un cri de surprise en tombant assis par terre. Je n'avais jamais rien vu de tel.

L'adolescente, qui devait avoir quatorze ou quinze ans, présentait tous les traits caractéristiques des Africains: cheveux crépus, pommettes saillantes, lèvres généreuses, menton discret... Mais sa peau, au lieu d'être d'un beau noir profond, pareille à celle des Burkinabés, était d'un rose cendré. Ses cheveux arboraient une teinte grise, délavée, tandis que ses yeux, impressionnants, me fixaient avec une lumière rouge. On aurait dit un démon sorti de l'enfer.

Une fois son visage masqué et ses yeux dissimulés derrière la fente mince qui lui permettait de voir, elle se releva et frotta le côté de sa tête, là où l'une des pierres l'avait atteinte. Puis elle s'enfuit vers la colline.

— Ça alors! lançai-je à mi-voix quand je pus retrouver l'usage de la parole. Que… qu'est-ce que c'était que?…

— Est-ce que tu l'as vue? s'informa Mamadou en parvenant à ma hauteur. As-tu vu son visage? Elle n'appartient pas à notre monde. Elle appartient à celui des djinns.

Pendant que je me levais, Mamadou continua:

— C'est étrange qu'on l'ait rencontrée. Normalement, on ne l'aperçoit pas le jour, ça peut la tuer; elle ne sort que la nuit. D'ailleurs, as-tu vu comme elle est voilée? Il paraît aussi qu'elle ne voit pas bien dans la lumière trop vive alors que, la nuit, elle voit mieux qu'un hibou.

Il prit une pose songeuse en plaçant son visage dans une paume et en appuyant son coude dans son autre main.

— Je me demande où elle va, poursuivit-il. Qu'est-ce qui l'a forcée à sortir en plein soleil?

Je regardai le boubou s'agiter au-dessus des herbes, jusqu'à ce qu'il disparaisse derrière les manguiers.

Tandis que nous demeurions ainsi à fixer le point où l'adolescente avait disparu, un ricanement saccadé, bizarre, nous fit nous retourner vers la plaine où se mourait la ligne douce de la colline. Des silhouettes trapues au pelage gris-brun tacheté de noir, au museau aplati et à la croupe plus basse que l'échine, se profilaient en poussant leur cri caractéristique.

— Encore ces fichues hyènes! s'exclama Mamadou

avec une voix plus intriguée qu'inquiète.

— Est-ce qu'il y en a beaucoup ici? m'informai-je en posant la main sur mon front pour voiler le soleil.

— Plus qu'à l'ordinaire, oui.

— Pourquoi?

Mon ami haussa les épaules et plissa le nez en exprimant son ignorance.

— Aucune idée. Il y a des moments où il y en a plus qu'en d'autres occasions. Depuis quelques semaines, elles sont vraiment nombreuses.

J'observai les museaux qui semblaient se tendre dans notre direction et je me demandai si, de cette distance, il leur était possible de sentir notre odeur ou de distinguer nos silhouettes floues au milieu des tiges herbues. J'évaluai leur nombre à sept ou huit.

— Si elles sont plus nombreuses, fis-je remarquer, c'est sans doute à cause de la sécheresse plus importante cette année. Il doit mourir plus de bêtes qu'à l'accoutumée, alors leur population en profite.

Mamadou se mordit l'intérieur des joues dans une attitude de profonde réflexion. Il hocha la tête de gauche à droite.

— Ce n'est pas certain. Les hyènes ne se nourrissent pas exclusivement de charognes; elles chassent aussi et tuent pour s'alimenter.

— Est-ce que tu crois que c'est dangereux pour nous?

Il ne répondit pas, mais, dans son mouvement pour se détourner et marcher en direction du village, je notai une grande nervosité.

**

Mon père traînait en bandoulière sa grosse sacoche de cuir dans laquelle il rangeait ses instruments et ses médicaments les plus courants. Il traversa les premières cases du village sous les salutations des habitants et les rires des enfants. Je le suivais, non sans montrer quelque fierté de le voir si bien considéré par les villageois.

— *Ani tilé*, Toubabou. *I kakéné wa?* Bonjour. Ça va?

— *Adanse*, Toubabou. Bonne arrivée! Tu vas bien?

— Et la famille, Nasaara? Ça va?

— Bonjour, bonjour, répondait papa. Ça va. Et toi? Et les enfants? Et la famille? Ça va?

En Afrique, exprimer des politesses est très important. Il serait discourtois de donner immédiatement les raisons de notre visite sans d'abord se soucier de chacun.

Nous parcourûmes l'aire centrale du village pour nous retrouver un peu à l'écart devant un regroupement de cinq ou six cases en banco, sises en demi-cercle sous le couvert rafraîchissant d'un immense kapokier. C'était là la résidence du vieux Dadouma Traoré, de ses quatre épouses et de leurs innombrables enfants.

Autour des habitations, une clôture de ronces empêchait les chèvres et les poulets de s'éparpiller dans la nature, et les prédateurs de la nuit de chaparder la volaille. Un grenier à mil, caractéristique avec sa forme cylindrique et son toit pointu en chaume, remplissait l'espace entre deux cases.

Le vieil homme, assis sur le sol près du kapokier, semblait nous attendre. Il était vêtu d'un large boubou poussiéreux aux couleurs plombées. Il avait perdu ses cheveux sur le dessus du crâne et gardait un peu longs ceux qui lui tombaient sur la nuque. Ses mains, repliées l'une dans l'autre, étaient tordues par l'arthrose. Il nous sourit en dévoilant des gencives édentées. Tel que l'exige la coutume, il ne se leva pas.

— Ah! Toubab! nous accueillit-il d'une voix chevrotante. *Adanse*! Bonne arrivée! Bienvenue!

Il avait un œil opacifié presque en totalité par une cataracte avancée ou par un trachome non soigné. Un trachome est une maladie des yeux qui se transmet par les grosses mouches noires qui nous harcèlent sans cesse. C'est une affection courante dans la brousse, et facile à guérir… si on a accès à temps à des soins médicaux. Dans les villages reculés, sans antibiotiques ni pansements, la moindre blessure ou maladie peut avoir des conséquences disproportionnées.

Mon père et moi nous assîmes près du vieux

Dadouma et échangeâmes des politesses, moitié en dioula, moitié en français. Nous ne nous regardions pas dans les yeux, nous contentant de parler au sol, car la terre servait d'intermédiaire entre lui et nous. Les ancêtres décédés qui s'y trouvaient filtraient nos paroles. Dadouma Traoré était un marabout, un sorcier, un homme respecté. Il fallait user avec lui de beaucoup d'égards.

— Comment vas-tu, Dadouma?

— Bien, je vais bien. Et toi, docteur? Tu vas bien?

— Oui, merci, je vais bien. Et la famille? Ça va, la famille, Dadouma?

— *Okakéné*. Ils vont bien. *I Moussôdo*? Et ta femme, la docteure? Elle va bien?

— Merci, elle va bien. Et tes enfants, Dadouma? Comment vont tes enfants?

— *Okakéné*. Les ancêtres veillent sur eux. Et le petit, là? Comment vas-tu, toi, le petit?

Et nous continuâmes ainsi pendant quelques minutes encore. Y passèrent les femmes, les enfants, les oncles, les cousins, les chèvres, les poules et les récoltes. Tout le temps, nous fixions le sol sur lequel nous étions assis, nous contentant de jeter des sourires ici et là autour de nous. Finalement, comme s'il se le reprochait ou s'il craignait de perturber notre bien-être, Dadouma répondit:

— Je vais bien. Je vais bien… un peu.

— Un peu, hum? reprit papa. C'est le palu, pas vrai?

Dadouma sourit pour s'excuser. Le palu, c'était bien ça. Le paludisme, la malaria.

— Parfois, c'est difficile, indiqua-t-il. Les fièvres m'emportent et on dirait que les ancêtres ne parviennent plus à m'apaiser. Même mes *yapèrlè*, mes fétiches, sont impuissants.

Je notai que papa fronçait les sourcils. Il songeait aux ramassis de ferraille, d'os et de chiffons barbouillés de sang de poulet que le marabout gardait dans sa case, à l'abri du regard des femmes.

Je savais que le respect porté par papa aux traditions séculaires des villageois ne lui permettrait pas de semoncer le vieil homme et de lui lancer avec condescendance ses connaissances scientifiques. Je savais qu'il préférait s'en faire un allié en tentant d'assortir avec le meilleur équilibre possible les cultes ancestraux et la médecine moderne. Il plongea la main dans son sac en cuir et en sortit un flacon de quinine.

— Voilà, souffla-t-il en tendant la main à Dadouma. Ces quelques préparations de la science des Toubabs devraient aider les ancêtres à combattre ton mal.

Dadouma avait conseillé à Ouendé, le chef du village, d'autoriser papa à rencontrer les femmes et les hommes qui désiraient une consultation. À l'ombre du kapokier, autour d'une table improvisée avec un vieux fût, assis sur une chaise pliante, mon père auscultait, prodiguait des conseils et offrait ses flacons.

J'étais fier de le voir travailler de ses doigts experts, soulevant une paupière pour vérifier les traces de trachome, tâtant un pouls, évaluant une fièvre, sondant un ventre, manipulant un membre blessé... Les gens le considéraient à la fois avec crainte et respect.

Deux malades présentaient un début d'encéphalite, augurant la rage. Papa s'en étonna.

— Il y a de nombreuses hyènes qui maraudent dans les environs, indiqua Ouendé en regardant la plaine avec un rictus exagéré pour exprimer la consternation. Ça contribue, ça, c'est sûr.

— Nous devons davantage surveiller nos bêtes, renchérit un paysan. Les hyènes les mangent, transmettent leurs puces, leurs maladies...

— Les hyènes en chasse, précisa un autre villageois, elles peuvent pénétrer dans un enclos et vider un poulailler en trois coups de dent. Ça oblige à renforcer les palissades.

— Ça, c'est sûr, approuva Ouendé.

— Pourquoi y a-t-il tant de hyènes ? demanda papa.

— On ne sait pas, répondit Dadouma. Il y a des années où elles sont plus nombreuses et, cette saison, j'avoue que...

— Ça oblige à renforcer les palissades, répéta le paysan.

— Ça, c'est sûr, convint Ouendé de nouveau.

Tandis que le soleil déclinait et que Mamadou était venu me rejoindre pour retourner à l'école, nous vîmes apparaître la mine austère de deux oblats de la Congrégation des chrétiens d'Afrique, la CCA.

Vêtus de leurs éternelles robes noires, ces fondamentalistes d'obédience catholique avaient établi une mission au croisement des routes qui menaient aux principaux centres urbains du pays. Leur allure sévère et renfrognée ne leur attirait pas beaucoup de sympathie.

Les Burkinabés préféraient écouter les discours plus courtois des prêcheurs musulmans. Au fond d'eux-mêmes, cependant, ils demeuraient totalement attachés à leurs traditions animistes, une croyance qui attribue une âme aux hommes, aux animaux, aux plantes et à tous les objets.

Pour eux, à la mort, l'âme ne va ni vers le haut ni vers le bas; l'esprit erre dans un univers parallèle au nôtre, ce qui permet aux ancêtres de continuer à veiller ou à harceler les vivants. Et, à l'opposé des chrétiens et des musulmans, ils ne croient pas en un seul dieu, mais en une multitude d'esprits et de démons.

— Ah, Dadouma! s'exclama l'un des oblats en apercevant le vieux marabout. Belle journée, pas vrai? Quelle chaleur!

Au lieu de s'informer de la santé du vieillard, il parlait du temps qu'il faisait. Dadouma resta assis sur le sol et leva à peine les yeux sur eux. Les oblats demeurèrent debout près de lui, sans avoir la politesse de diminuer leur ombre en s'assoyant pour converser, ce qui était encore une offense.

Ils aperçurent mon père qui commençait à ranger ses instruments dans sa sacoche de cuir.

— Bonjour, docteur, salua le plus grand des deux. Jolie clinique que vous avez là-bas. Combien d'employés?

— Ça va très bien, merci, répliqua mon père, pince-sans-rire, en évitant de répondre à la question. Et vous, ça va aussi?

— Heu… oui, oui… répondit l'oblat. Merci.

— Nous voulons parler à Sanou, annonça le second religieux en s'adressant à Dadouma. Sais-tu où je peux la trouver?

Je notai une étrange réaction des villageois autour de nous lorsque l'oblat prononça le nom de la fille. Les sourires et les mines réjouies se rembrunirent alors que certains reculaient de quelques pas, comme si le religieux venait de proférer une malédiction. L'œil interrogateur que me jeta papa m'indiqua que lui aussi avait remarqué le malaise.

— Vous ne le pouvez pas, rétorqua Dadouma. Sanou ne sort pas le jour.

— Nous ne la dérangerons pas longtemps, promit l'oblat en regardant le marabout directement dans les yeux.

Celui-ci détourna le regard et persista à s'adresser à la terre pour qu'elle serve d'intermédiaire.

— C'est impossible, refusa-t-il de nouveau. Revenez au petit soir.

— Écoute, Dadouma, insista l'oblat en pliant les genoux pour se placer à sa hauteur, cela nous oblige à une longue route de marcher d'ici à la chapelle. Nous savons que Sanou sort le jour pour…

— Il a dit non! Tout le monde ici vous dit non! Partez!

L'oblat se redressa en fermant les poings de colère. Visiblement, il s'agissait d'un religieux dont la fougue semblait difficile à endiguer. Celui qui venait de le confronter était Mohammed, un grand gaillard de dix-huit ans, pas du tout sympathique et un peu roublard.

En réalité, Mohammed était une vraie graine de chenapan dont les ardeurs avaient été calmées l'année précédente par les imams de Bobo-Dioulasso. Il s'était absenté quelques mois pour travailler en ville et les rumeurs prétendaient qu'il y faisait plutôt les quatre cents coups. Heureusement, sa mauvaise conduite avait été, en partie, pondérée par sa conversion à l'islam.

Depuis son retour, il répandait autour de lui les préceptes de sa nouvelle foi… avec peu de conviction, il est vrai. N'empêche, il était porté à détester les oblats de la CCA, animosité qui s'avérait réciproque, de toute évidence.

Mohammed croisa les bras et fixa les deux oblats d'un air de défi. À trois pas derrière lui se tenait Saye, son éternel acolyte — un cousin —, à peine moins chenapan. Afin d'éviter une confrontation qui ne les avantagerait pas, les oblats choisirent d'ignorer les deux larrons et de continuer à supplier Dadouma du regard. Le marabout cherchait à se relever. Papa lui tendit la main et le vieil homme prit un temps infini pour se mettre debout.

— Qui est Sanou? demanda papa d'une voix douce.

Mamadou se pencha vers moi pour me murmurer à l'oreille:

— Sanou est la Soungoroni. Tu sais, la fille qui...

Dadouma tapota la main de papa avec ses doigts perclus d'arthrose. Il hochait la tête, hésitant.

— C'est ma fille, répondit-il enfin. Elle ne vit pas comme nous. Le soleil, la lumière la tuent. Elle appartient au monde des djinns.

— Dadouma, s'obstina un oblat tandis que le marabout se détournait pour entrer dans sa case, nous tenons à parler avec Sanou. Il paraît que, chaque après-midi, elle va retrouver une grande dame blanche qui lui apparaît sur la colline.

— Je suis fatigué, je ne veux plus vous entendre.

— Dadouma! Nous pensons que ta fille voit Marie, la Sainte Vierge!

2

Il faisait nuit lorsque maman sortit de la case de Sanou, la Soungoroni. Dao, sa mère, la deuxième des quatre épouses de Dadouma Traoré, l'accompagnait. Maman est médecin généraliste comme papa. Toutefois, puisqu'elle a entrepris des études en psychiatrie, c'est d'elle que relèvent les cas de psychanalyse.

Papa était assis avec Dadouma sous le kapokier. Quelques personnes influentes du village les y avaient rejoints, davantage pour se distraire d'un événement inhabituel que parce que leur présence était nécessaire. Ils discutaient de tout et de rien en riant et en fumant des cigarettes bon marché que l'un d'eux distribuait alentour tel le père Noël, ses cadeaux.

Les femmes du village, bien qu'elles ne fussent pas autorisées à s'asseoir avec les hommes, se tenaient non loin, papotant, ricanant et lorgnant sans arrêt en direction de la case de Sanou.

Près de papa, un grand adolescent de quinze ou seize ans se targuait d'importance en servant d'interprète aux villageois qui ne parlaient que le dioula ou le bobo. Il s'appelait Sangoulé. Très émacié, avec un visage osseux caractérisé par d'imposantes arcades sourcilières, ses dents de devant étaient si avancées que, même lorsqu'il fermait la bouche, on continuait à les apercevoir.

Sangoulé était un peu benêt, aussi subissait-il à l'occasion les moqueries des autres adolescents. Il avait appris à ne plus s'immiscer dans les jeux de ceux de son âge, mais il profitait de toutes les occasions qui lui permettaient de montrer qu'il n'était pas aussi sot qu'on le disait.

Mamadou et moi, non loin, accroupis sur la terre battue, terminions un devoir de français, éclairés par la lumière pâle d'une lampe à huile. J'avais peine à me concentrer avec les poulets qui couraient autour de nous et les gros scarabées qui montaient sur mon cahier.

Quand maman apparut, je notai que les hommes levaient la tête et que les femmes réduisaient leur babillage. Elle s'assit au milieu de l'assemblée sous le kapokier, sans gêne, tandis que les villageoises l'observaient, fascinées par son autorité, par son assurance, par sa façon de s'adresser aux hommes sans aucune trace de soumission.

Maman avait moins de facilité que papa à se plier aux traditions locales. Elle avait tendance à fixer ses interlocuteurs directement dans les yeux et ne prenait pas la terre à témoin de ses paroles. C'était sans doute un vieux réflexe, datant de sa vie au Canada, de l'époque où il fallait rappeler dans le moindre mouvement, dans le détail de chaque attitude, que nous sommes tous égaux, qu'importe le rang social, qu'importe le sexe.

Je la regardais agir et j'étais fier d'elle. Malgré son large t-shirt et ses jeans crottés, malgré son allure de garçon manqué, je la trouvais jolie.

Maman avait de longs cheveux bruns, doucement cuivrés par le soleil africain, qu'elle peignait vers l'arrière et attachait avec des barrettes; ils retombaient sur ses épaules en cascades bouclées. Ses grands yeux noirs bouillonnaient d'intelligence sous de petites lunettes rondes. La quarantaine imprégnait son visage de légères rides, juste ce qu'il fallait pour lui donner un air de sagesse mêlée d'autorité.

Les villageois l'observaient avec une expression ambiguë où se lisaient la réprobation et l'admiration. Un peu à l'écart, je notai que Mohammed et son ombre, Saye, la dévoraient des yeux. À leurs regards impudents et leur air égrillard, il n'était pas difficile de deviner que les propos qu'ils se chuchotaient en ricanant ne pouvaient être que grossiers.

— Sanou est albinos, annonça maman sans autre forme de préambule.

Tous les hommes eurent un mouvement de recul pour manifester leur horreur. Dadouma, le premier, porta une main sur son cœur en signe de désespoir.

— Savez-vous ce que ça signifie? demanda maman sans paraître remarquer les expressions catastrophées autour d'elle.

Sangoulé traduisit pour ceux qui ne comprenaient pas le français.

— *Ân ân*, répondirent les villageois en chœur.

— Non, interpréta Sangoulé en regardant maman.

— Avez-vous déjà vu des lapins blancs? Des souris blanches?

— *Oôn*. Oui.

— Sanou souffre de la même tare, de la même mutation génétique.

Sangoulé la fixa, immobile, la bouche entrouverte. Papa se sentit obligé d'intervenir.

— Sanou est... malade, simplifia-t-il.

Sangoulé eut un grand sourire niais pour indiquer qu'il avait compris et traduisit de nouveau pour ses concitoyens.

— Elle souffre d'une affection de naissance qui lui interdit de s'exposer au soleil, reprit maman. C'est un phénomène rare et surprenant, quoique banal pour la science. La peau de Sanou ne synthétise pas la mélanine, la substance qui colore la peau et les cheveux. Puisqu'il s'agit d'une maladie congénitale, ce qui veut dire qu'on naît malade, il est probable que, parmi les ancêtres de

Dadouma et de Dao, il y a eu des cas similaires.

— Non, objecta aussitôt Dadouma qui n'avait pas besoin de la traduction de Sangoulé. Mes ancêtres et les ancêtres de ma deuxième femme étaient du monde des vivants, pas du monde des esprits.

— Je t'en prie, Dadouma! répliqua maman en élevant un peu le ton. Les esprits, les fantômes, les djinns et tous les dieux de l'univers n'ont rien à voir dans le cas de Sanou. Elle a une affection et il est de ton devoir de père de la protéger des éléments qui peuvent la rendre malade, voire la tuer.

L'œil valide du vieil homme s'agita dans sa paupière ridée. Maman venait de lui donner une leçon de conduite à lui, un homme, plus âgé qu'elle, marabout de surcroît. En deux phrases, elle venait de balayer son autorité et les traditions séculaires de son peuple. Seul son statut d'invitée et d'étrangère évita qu'elle fût expulsée de l'assemblée.

Papa intervint, le visage tourné vers la terre pour que les ancêtres des villageois acceptent ses paroles et les retransmettent autour de lui. Encore une fois, Sangoulé traduisit.

— Sanou est une jeune fille pareille à toutes les jeunes filles, les assura papa. Elle n'appartient pas davantage que vous au monde des esprits. Son apparence physique n'est pas plus mystérieuse que la mienne, par exemple. Ou que celle de mon épouse… ou de mon fils. Nous aussi présentons moins de mélanine que vous, Burkinabés, et c'est pourquoi notre peau est plus pâle.

— Et ses yeux, Toubab? lança Mohammed en français. As-tu vu ses yeux? Ils sont rouges, semblables à ceux des djinns qui peuplent la savane la nuit.

— Sa choroïde n'a pas de pigmentation, expliqua maman, alors la lumière se reflète sur le sang et l'iris devient rose.

— Sans compter que la lumière peut la tuer, insista Saye à son tour, comme les mauvais djinns.

— Et comme nous, les Blancs, précisa papa en s'empressant de devancer maman qui commençait à perdre patience. Si ma famille et moi demeurons trop longtemps au soleil sans protection, notre peau cuit sous les rayons ultraviolets et nous attrapons ce que nous appelons un «coup de soleil». On peut en développer un mélanome, un cancer, et mourir.

Dao, les deux mains croisées à la hauteur de la poitrine et le menton baissé dans l'attitude la plus humble, osa prendre la parole. Sans doute se sentait-elle en droit de s'adresser aux hommes en tant que mère de Sanou... et sûrement aussi inspirée par l'attitude agressive de maman. Elle s'exprima dans un français maladroit, mais compréhensible.

— Tu dis, toi, grande femme toubab, docteure comme ton mari, ma fille pas maudite? Seulement malade?

Peut-être gagné par le même espoir, Dadouma ne renvoya pas sa femme retrouver les autres villageoises qui nous observaient plus loin. Ouendé, le chef du village, un homme malingre au rictus mauvais, se mit à caqueter d'une voix aigre. Il parlait un assez bon français, mêlé d'expressions africaines typiques.

— Les décolorés ne sont pas engendrés de la même façon que nous, prétendit-il. Dao a été *enceintée* par le génie de l'air...

Il toisa l'œil valide de Dadouma.

— ... pendant son sommeil, ça, c'est sûr, précisa-t-il. Avant, on ne les *confiançait* pas, on les sacrifiait durant une cérémonie... s'ils vivaient jusqu'à l'âge adulte, ça, c'est sûr.

— Voilà! approuva près de lui un vieil homme qui gardait le nez vers le sol. Voilà!

Il prononçait le mot en appuyant sur la dernière syllabe avec un accent tonique très haut, typique de la façon burkinabé de s'exprimer. Une femme qui avait trois bambins pendus à son boubou et un quatrième attaché dans son dos s'adressa à ma mère en dioula. Elle parlait très vite, sur un ton pointu, et Sangoulé attendit qu'elle ait terminé avant de traduire.

— Et comment toi, grande toubab médecin qui regarde les hommes dans les yeux, tu expliques que la Soungoroni ne parle presque jamais? Pourquoi elle refuse de se mêler aux autres enfants? Ça aussi, c'est la pigmentation?

— Si on vous méprisait et vous rejetait depuis votre plus jeune âge, répondit maman en relevant le menton dans un air de défi, vous aussi vous finiriez par ne plus parler à personne.

— Bon, un moment, intercéda papa qui n'aimait pas les confrontations. Nous devons établir, à l'intérieur de notre assemblée, les balises à respecter pour ne pas froisser vos traditions, puis reconnaître les symptômes que la science peut expliquer. Puisqu'il s'agit de la santé physique et mentale d'une adolescente, mon épouse et moi, en tant que médecins, aurons nécessairement un parti pris pour l'analyse critique.

— Ça, c'est bien un Toubab! lança une femme à une autre, suffisamment fort pour que tout le monde entende et que Sangoulé puisse répéter en français. Il faut toujours qu'ils cherchent à interpréter tout quand ce sont les ancêtres qui vont décider tout.

— *Oôn*! approuva une vieille assise par terre, le nez sur une poterie qu'elle dégrossissait. Les Nasaara, ça croit savoir les choses, mais ça ne sait pas écouter le vent. Ça ne sait pas écouter la terre.

— Dis-nous comment, grande Toubab médecin comme ton mari, tu expliques que les esprits rendent visite à Sanou! insista la femme qui affrontait ma mère par la bouche de Sangoulé.

— Les esprits ne rendent pas visite à Sanou, répondit

maman en faisant des efforts visibles pour garder un ton posé. Il est possible qu'elle soit victime d'hallucinations ou qu'elle mente dans le seul but d'attirer un peu d'attention sur elle. N'oubliez pas que vous la rejetez depuis sa naissance et qu'elle en souffre.

— C'est ça, c'est notre faute, répliqua Ouendé, le nez au sol, sans oser défier ma mère dans les yeux. C'est notre faute, ça, c'est sûr.

— Moi, je pense que la Soungoroni voit la Sainte Vierge des chrétiens, émit une petite villageoise qui s'adressait à sa voisine en prenant soin, elle aussi, de parler haut. Je pense que cette Marie a plus de pouvoir que le fameux Allah des musulmans.

— Tais-toi, sacrilège! grinça Mohammed en montrant le poing. Si je t'entends encore prononcer un mot de la sorte, je te tue pour l'exemple.

Sangoulé se crut obligé de traduire en prenant un air niais.

— Et toi, l'idiot, renchérit Saye en levant l'index vers le pauvre interprète, qu'on ne t'entende plus répéter les paroles impies des infidèles.

L'adolescent déglutit devant la menace tandis que je voyais maman serrer les mâchoires en s'efforçant de conserver son calme. Ouendé se mit debout et, avant de quitter les lieux, fixa le sol en ressassant:

— Sanou connaît le monde des esprits, et ce n'est pas

bon. Elle ne doit pas demeurer au milieu de nous. Ça, c'est sûr.

— La Sainte Vierge est peut-être bienveillante pour les chrétiens, poursuivit un homme, mais ici, c'est la terre des Bobos. C'est ici que repose l'esprit de nos ancêtres. Cette Marie n'a pas à venir sur notre colline.

— Sanou ne voit pas la Sainte Vierge! objecta maman. Cessez de colporter ces sottises inventées par les oblats. Sanou souffre d'hallucinations, de visions.

— Ah oui? railla la femme qui la confrontait depuis le début. Des visions? Alors d'où elle vient, la source? Le sais-tu, toi, grande Toubabou? D'où elle vient, la source?

— Quelle source? demanda papa.

— Quelle source? répéta Dadouma, silencieux depuis un moment.

On aurait pu penser qu'il s'ennuyait, sauf qu'il était déchiré, d'un côté par les croyances qui le forçaient à rejeter sa fille, et de l'autre par l'amour qu'il lui vouait.

— La nouvelle source qui coule de la colline, répondit la femme.

— Une source claire et abondante, précisa une jeune fille en rétablissant l'équilibre du bébé qu'elle portait sur le dos. J'y ai bu, elle est fraîche, et j'y ai laissé boire ma chèvre; ça l'a *enceintée*.

Une femme éclata de rire près d'elle.

— Si ta chèvre est grosse, c'est qu'elle court les

boucs... comme toi.

— Pas du tout! Ma chèvre...

Dadouma rétablit le silence d'un «*A bana*!» puissant et, fronçant les sourcils, déclara:

—Je ne savais pas qu'il y avait une source sur la colline.

Plusieurs villageois échangeaient des regards interrogateurs. De toute évidence, l'information n'avait pas circulé beaucoup, camouflée par les superstitions et la peur. Je me tournai vers Mamadou:

— Le savais-tu, toi?

Il plissa les lèvres dans une moue.

— J'en avais entendu parler, chuchota-t-il, mais je n'y croyais pas.

— Écoutez, dit papa en levant les bras pour calmer les murmures qui fusaient ici et là, s'il y a une source sur la colline, et c'est à prouver, rien n'indique qu'elle soit d'origine surnaturelle. Qui prétend que c'est une supposée apparition qui l'a fait surgir du sol?

— Moi!

Une grande stupeur frappa les villageois lorsque Sanou, la Soungoroni, parut soudain dans l'ouverture de sa case. Dans l'obscurité, elle avait abandonné son voile et exposait ses cheveux blancs.

Sous l'éclairage des feux et des lampes, son teint blafard créait sur son visage une image luminescente. Ses yeux balayaient l'assemblée en dispensant un éclat rouge, surnaturel, terrifiant. Quand ils s'attardèrent sur moi, j'en ressentis un choc tel que mes cheveux se hérissèrent sur ma nuque.

Le malaise qui m'avait attaqué au matin réapparut, plus fort, et j'eus du mal à le combattre. Ses yeux me quittèrent enfin et parcoururent l'assemblée.

La Soungoroni s'exprima dans un excellent français, d'une voix mêlée d'assurance et de fragilité, d'une voix où se devinaient l'aplomb qu'elle cherchait à se donner et la crainte de ces regards fixés sur elle.

— Moi, je l'affirme, annonça-t-elle. La dame blanche sur la colline m'a ordonné: «Lève cette pierre et tu trouveras une source fraîche qui étanchera la soif de la terre.» J'ai soulevé la pierre et la source a jailli. La dame blanche ne ment jamais.

3

— Est-ce que ce sont les hyènes, tu crois?

À son habitude, Mamadou plissait le nez pour exprimer son ignorance. Son épaule s'appuyait contre la mienne tandis que nous étions étendus sur le ventre, les coudes contre la pierre, et que nous observions, de notre promontoire, les hommes qui ramenaient le corps. On distinguait, sous la couverture qui servait de brancard, la masse sanguinolente de Mohammed.

J'avais déjà eu l'occasion de voir des cadavres à la clinique, des gens blessés mortellement, mais d'avoir ainsi sous les yeux un tel amas de chairs putréfiées, bourdonnant de mouches, me donna la nausée. Dans la lividité relative que prit le teint de Mamadou, je devinai qu'il ressentait un trouble similaire.

— Si ce sont les hyènes, murmura-t-il en s'efforçant de ne plus regarder le cortège macabre, les anciens vont interdire aux gens de s'éloigner seuls des agglomérations.

J'espère qu'ils ne fermeront pas l'école.

Au village, les hurlements de la mère de Mohammed s'entendaient au-delà des pilons qui écrasaient le mil, des aboiements coutumiers des chiens, des bêlements des chèvres et des meuglements des vaches. La journée serait triste.

Mamadou et moi suivîmes les hommes qui peinaient sous leur fardeau sinistre. Le corps de Mohammed, ballotté au-dessus des irrégularités du sentier, se balançait de gauche à droite comme dans un hamac.

Ce furent le chef du village et le marabout qui accueillirent le corps alors que Saye, le cousin de Mohammed, réconfortait la mère, veuve depuis cinq ans. Celle-ci s'était effondrée sur le sol, sous la mine catastrophée de ses quatre autres enfants. Mohammed était le soutien de cette famille dont le frère cadet avait tout juste onze ans. Trois enfants entre Mohammed et lui étaient morts déjà. Qui nourrirait désormais ceux qui restaient?

**

Je me levai avec un mal de tête et des douleurs dans tous les muscles. J'étais étourdi et me sentais faible. Quand je suis arrivé à la salle à manger, papa était parti et maman était assise, un bol de café à la main, le nez dans ses paperasses. Elle portait ses lunettes sur le bout du nez et n'était vêtue que d'un peignoir.

— Bonjour, maman.

— Bonjour, mon bonhomme, répondit-elle sans quitter ses papiers des yeux. As-tu bien dormi?

— Hum, hum.

Je jetai un œil sur l'omelette préparée par notre bonne et une vague nausée m'envahit. Je dus demeurer là un moment à me demander si je devais prendre le risque d'avaler le repas, car c'est maman qui me tira de mes pensées.

— Est-ce que ça va, mon grand?

— Oui, ça va. Je me sens juste un peu... je n'ai pas faim.

— Viens là. C'est vrai que tu ne parais pas très en forme.

Elle plaça sa main experte sur mon front, puis deux doigts sur le côté de mon cou.

— Tu as un peu de fièvre, nota-t-elle en me regardant, les sourcils froncés. Vas-tu à la selle? As-tu bu de l'eau dans une source?

— Non, non. J'ai peut-être eu froid sous le ventilateur. Je ne sais pas.

— Retourne te coucher.

Je balayai l'air de la main comme si je chassais une mouche imaginaire.

— Non, ça va aller. Ça va passer. J'ai un examen ce matin.

Elle posa un gros baiser sur mon front.

— Si ça empire, tu plaques tout et tu reviens; tu as ma permission.

— D'accord.

Après mes ablutions, je réussis à avaler une bouchée ou deux, puis je retrouvai Mamadou chez lui. Étant donné que mon ami bobo n'avait pas encore franchi le deuxième rite qui confirmerait son statut d'homme, il vivait encore dans l'espace réservé aux femmes et aux enfants. Les trois cases rondes qui entouraient l'aire centrale où brûlaient les feux de cuisson appartenaient aux trois épouses du père de Mamadou. Le mari habitait seul dans la case carrée un peu en retrait.

Les habitations formaient un cercle grossier, reliées en partie par un mur en banco — de la terre séchée — et une clôture de ronces. Un grenier à mil, semblable à une case, mais reconnaissable à sa forme plus étroite, s'imbriquait dans l'ensemble.

Avec deux mamans supplémentaires pour compléter la famille, Mamadou, qui avait déjà de nombreux frères et sœurs, se retrouvait avec une somme incalculable de demi-frères et de demi-sœurs. De plus, les Burkinabés, qu'ils soient cousins et cousines, voisins et voisines, s'appellent tous frères et sœurs entre eux; je n'arrivais donc jamais à démêler qui était de la véritable famille de Mamadou.

— Tu as une drôle de tête, ce matin, lança-t-il en

m'apercevant. Ne me dis pas qu'on a interdit l'école!

— Non, non. En tout cas, pas à ma connaissance. J'ai seulement un peu de fièvre. Viens-tu?

J'envoyai la main à quelques sœurs — ou demi-sœurs ou voisines — de Mamadou, qui me regardaient en pouffant, puis nous nous engageâmes dans le sentier qui menait à l'école.

— As-tu avalé une saloperie? me demanda mon copain pendant que nous marchions.

— Je ne sais pas.

— Tu devrais être plus prudent. Ici, en Afrique, des tas de trucs rendent les Blancs malades. Tu ne dois pas...

Je m'arrêtai et levai mon index devant son nez pour le confronter.

— Je suis aussi africain que toi, Mamadou Savadogo! Je suis peut-être blanc de peau, mais je suis noir dans ma tête, d'accord? Je suis né en Afrique, j'ai toujours vécu en Afrique, je suis africain.

— Ça va, ne te fâche pas.

J'avais maintenant posé l'index sur mon propre visage et j'indiquais les marques qui dessinaient des arcs de cercle sur mon front et sur mon menton.

— Ça, c'est l'Afrique qui m'a fait ça. Je suis initié à des mystères que même toi, même le marabout, ne connaissez pas. Je ne suis pas un simple Blanc d'Amérique; je ne veux plus que tu en doutes.

— Ça va, Manu, excuse-moi! Oui, tu es un Africain comme nous. Tu n'es pas bobo, c'est tout.

Je me calmai. L'effort qu'avait exigé cet emportement m'étourdit un peu et je pris quelques secondes avant de pouvoir recommencer à marcher. Décidément, je n'étais pas en grande forme ce matin-là.

Mamadou ricana.

— D'ailleurs, renchérit-il, la Soungoroni a une peau plus blanche que la tienne et personne ne doute qu'elle soit africaine.

— On doute seulement qu'elle soit vivante, dis-je à mon tour en riant.

Au son d'un timbre de clochette accompagné du vrombissement discret d'un moteur, nous nous retournâmes.

— Tiens! s'étonna Mamadou en regardant par-dessus son épaule. Ils en ont marre de marcher, on dirait.

Les oblats, assis sur une mobylette un peu cabossée, arrivaient à petit train en soulevant un nuage de poussière.

— Bonjour, les garçons, saluèrent-ils de concert en nous dépassant. Beau temps pour une balade, pas vrai?

Je ne comprenais pas que ces deux énergumènes, au lieu de s'informer de la santé des gens, parlent du temps chaque fois qu'ils rencontraient quelqu'un. À part à la saison des pluies, il faisait toujours soleil. Pourquoi est-ce qu'ils semblaient s'en étonner jour après jour?

— Où vont-ils? demandai-je en notant qu'ils empruntaient une route différente de celles qui menaient à l'école ou au village.

— Qu'est-ce que tu crois? répondit Mamadou. Ils vont à la colline. Il paraît qu'ils y ont érigé un abri pour protéger la Soungoroni du soleil pendant qu'elle a ses... visions.

Je revis en mémoire les yeux de Sanou posés sur moi, le soir, au village. J'en ressentis un tel frisson que je m'empressai de chasser l'image de ma tête.

— Ils y vont tôt, à la colline, m'étonnai-je. Je pensais que la Soungoroni ne s'y pointait que les après-midi.

— Elle, oui, mais eux s'y trouvent presque en permanence. Ils arrangent le coin pour recevoir des dévots et des pèlerins.

— Ah bon? Il y a des pèlerins qui se rendent désormais à...

— Pas encore, me coupa Mamadou en riant et en frottant son index contre son pouce pour signifier l'argent. Toutefois, ils l'espèrent.

Pendant presque tout l'avant-midi, je luttai en classe contre la fièvre qui cherchait à prendre de l'ampleur. Par moments, j'étais épuisé rien qu'à devoir tourner les pages de mon cahier. Puis, vers onze heures, sans raison parti-culière, je commençai à me sentir mieux; comme si mon système avait fini par vaincre mon mal. Lorsque l'instituteur sonna la pause à midi, je ne jugeai pas nécessaire d'aller chez moi.

— Es-tu en forme pour une partie de football, Manu? demanda Mamadou pendant qu'il saluait une bande de sportifs qui couraient déjà vers le terrain aménagé pour les jeux de ballon.

— Je ne sais pas. Je vais plutôt me contenter de...

Un bruit de moteur diesel, rare dans le secteur, m'interrompit. Des jeunes très excités désignaient un point masqué par une rangée de baobabs. Je m'avançai et, soudain, tel un poisson au milieu de girafes, un immense autocar climatisé surgit de son nuage de poussière pour passer à grande vitesse devant nous.

Quelques visages pâles, derrière les vitres teintées, nous observaient avec des mines ahuries. J'aperçus un appareil photo qui nous visa rapidement et disparut dans la pénombre de l'habitacle.

— Ça alors! s'écria Mamadou. D'où sort-il, celui-là?

— Où va-t-il, surtout? m'interrogeai-je. Il n'y a rien par là. Ça ne mène nulle part.

Nous nous sommes regardés, Mamadou et moi, et avons compris en même temps.

— La colline!

***

Décidément, les oblats de la Congrégation des chrétiens d'Afrique n'avaient pas chômé. Tout le sommet de la colline, restreint, il est vrai, avait été aménagé afin d'accueillir les visiteurs. Un abri étroit, surélevé, qu'ils appelaient le «sanctuaire», ouvert sur la partie nord, avait été érigé de façon à protéger la Soungoroni des rayons trop directs du soleil.

Un simple écart entre le mur sud et la toiture permettait à l'albinos de fixer la cime d'un manguier où, selon elle, la femme blanche lui apparaissait. Au pied du sanctuaire, un filet d'eau claire sourdait en vaguelettes et bondissait vers la pente herbue où il s'évanouissait. Un panonceau était planté à l'embouchure, mais j'étais trop loin pour pouvoir lire l'inscription.

Autour des immenses manguiers, un espace avait été débroussaillé pour que les pèlerins étalent les tapis et les couvertures sur lesquels ils s'assoyaient ou s'agenouillaient. Quelques-uns dépliaient des bancs compacts ou de grosses chaises de parterre. Il y avait plusieurs fauteuils roulants et partout pendaient de longs chapelets.

Bien que s'y mêlassent quelques couples dans la jeune trentaine, la plupart des dévots étaient très vieux et certains avaient besoin de l'aide de leurs accompagnateurs pour se déplacer. D'où venaient-ils tous? Mystère.

De nombreux regroupements de chrétiens parcouraient la planète ici et là pour visiter les lieux où la

Vierge Marie, croyait-on, se manifestait. À les observer ainsi, un peu à l'écart, avec d'autres petits Burkinabés, Mamadou et moi ne pouvions que spéculer sur l'extraordinaire efficacité des oblats.

— Ha! ha! ricanait l'un d'eux en serpentant entre les rangées de pèlerins et en distribuant sourires et tapes sur l'épaule. Ces musulmans voulaient dérober les âmes africaines pour les entraîner en enfer avec eux. Voici que la Sainte Vierge vient stopper l'hémorragie pour ramener ses ouailles dans le chemin de la vérité.

— Que le Seigneur nous bénisse! répondaient de vieilles grands-mamans un peu trop fardées.

— Amen!

Les enfants du village, d'abord intimidés, puis de plus en plus audacieux, commencèrent à circuler au milieu des étrangers. Déguenillés, sales, leur allure attira, dans cet ordre, la surprise, la sympathie, l'amusement et, finalement, l'appréhension.

Une femme s'adressa à l'un des oblats en désignant un bambin au ventre ballonné et au nombril proéminent qui lui tendait la main en chantonnant «Toubabou, ça va? Cadeau?»

— Mon père, demanda-t-elle, ces petits... petites choses, là, toutes noires... sales, je veux dire, elles ne traînent pas de maladies, au moins?

— Non, non, pas de danger, l'assurait le père tandis

qu'il repoussait d'un geste un peu vif le Burkinabé qui continuait à tendre la main. Ils sont un peu poussiéreux, mais en parfaite santé.

— Comme ils sont pittoreeeesques! s'exclama une grande maigre. On les embrasserait presque.

Les dévots parlaient français avec des accents divers; sans doute provenaient-ils de différentes parties de l'Europe. Une femme très âgée, débordante de graisse, assise sur un banc minuscule qui semblait prêt à exploser sous le poids, me toisa avec un drôle de regard, puis me désigna de son index potelé.

— Gérard, as-tu vu? Il y a un Blanc parmi eux. N'est-ce pas curieux?

Le dénommé Gérard tourna vers moi un regard quasi intéressé.

— Comment t'appelles-tu? me lança la grosse en tordant les lèvres dans une esquisse de sourire. Est-ce que tu vis ici? Est-ce que tu es chez les pères oblats?

— *Ani tilé*, répondis-je en évitant exprès de m'exprimer en français. *I kakéné wa? Somorodô?*

La femme eut un léger mouvement de recul.

— As-tu entendu, Gérard? Le petit Blanc ne parle pas français. Il… il s'exprime en… en sauvage. Il y a de ces parents!

— Ne t'inquiète pas, la rassura Gérard en comptant les grains de son chapelet. La Sainte Vierge arrangera ça.

À mesure que les étrangers s'installaient, sept ou huit oblats, tous vêtus de la même robe noire, distribuaient les bouteilles d'eau puisée à la source, au son des billets de banque qu'on froisse et défroisse. Je me plaçai avec les autres Burkinabés, en retrait, autour des pèlerins. Assis sur le sol, nous observions, curieux et fascinés, ce spectacle qui jurait avec la savane alentour.

À l'inverse de ce que j'aurais pu penser d'une assemblée de fidèles religieux, l'esprit n'était pas à la contemplation ni à la prière. Les pèlerins étaient en réalité assez bruyants; on aurait dit une bande de touristes en excursion. Il est certain qu'il s'agissait un peu de cela, mais... bon, je voyais ça différemment. Jusqu'à ce qu'arrive la Soungoroni. À partir de cet instant, un silence à la fois respectueux et inquiet s'abattit sur les croyants.

À son habitude, Sanou venait seule du village en empruntant le sentier des chèvres. Son long boubou noir qui la recouvrait des pieds à la tête flottait dans l'air en moulant ses courbes de jeune fille. Elle parut hésiter en apercevant l'assemblée qui l'attendait au sommet de la colline, et il fallut les moulinets insistants du bras d'un père oblat pour la convaincre d'entreprendre la montée.

Sans un regard pour personne, son visage dissimulé sous le voile noir qu'elle fermait de sa main gantée, elle traversa la foule dans le silence le plus absolu. Elle grimpa la marche qui lui donnait accès au sanctuaire et s'immobilisa, le corps un peu incliné dans une attitude humble, face à l'ouverture sud.

Maintenant à l'abri du soleil, elle avait baissé les mains et, de ma position, je voyais un bout de nez qui émergeait de son voile. Elle semblait fixer la tête du manguier, vingt mètres plus loin.

Les minutes s'écoulèrent. Des grommellements furent psalmodiés ici et là, indiquant que plusieurs fidèles entamaient leurs prières. Les chapelets s'égrenaient. Je notai autour de moi, hormis quelques sourires cachés sous des menottes sales, que les enfants étaient captivés par la scène et qu'ils avaient oublié leurs gamineries coutumières. Le temps s'étira.

Assis en plein soleil, je commençais à sentir la torpeur me gagner lorsque, poussant un cri, la Soungoroni se jeta à genoux. Tous les pèlerins l'imitèrent... sauf les gens en fateuil roulant qui s'écrasèrent contre leur dossier. Les Burkinabés et moi, incertains de l'attitude à adopter, restâmes figés sur place. Nous ne comprenions pas bien ce qui se passait, mais nous savions tous que la cérémonie prenait une tournure radicale.

L'albinos, le dos cambré, la tête relevée vers l'ouverture sud, les mains jointes devant la poitrine, regardait la tête du manguier.

Par moments, quand son voile se déplaçait un peu, je voyais ses paupières qui, de pétrifiées, se mettaient tout à coup à battre d'une manière frénétique. Ses lèvres bougeaient doucement, s'immobilisaient, puis recommençaient, comme si elles échangeaient des mots avec quelqu'un que nous ne voyions pas. Derrière elle, les *Ave Maria* mêlaient leurs paroles latines aux *Je vous salue, Marie*, créant une étrange musique habillée de recueillement et de transe.

Certains balançaient le corps de l'avant vers l'arrière dans un mouvement de métronome, la tête au ciel, les yeux fermés. D'autres pleuraient en se frappant la poitrine et en citant les péchés dont ils s'accusaient. Quelques-uns souriaient bêtement en observant les vautours qui planaient très haut. Deux ou trois grands-mamans, appuyées contre leur accompagnateur pour ne pas tomber, tordaient leurs mains sur des chapelets agités.

Nous, les Africains, assistions à cette réunion insolite de Blancs sans en saisir le sens, mais sans douter un instant du caractère exceptionnel qu'elle revêtait.

Tout à coup, je vis une femme dans la quarantaine, vêtue d'une robe sombre, se lever à demi en indiquant d'un doigt le manguier. Elle ouvrit la bouche avec lenteur alors qu'autour d'elle s'enflait un silence pesant. Je pensai à la plaine, pendant l'orage, à cette seconde d'attente lourde qui succède à l'éclair, juste avant qu'explose le tonnerre. La femme poussa un cri strident:

— Je la vois! Elle est là! C'est un miracle!

Et elle s'évanouit.

Les prières reprirent tandis que certains dévots tentaient d'apercevoir la cime de l'arbre. Les Burkinabés et moi avions beau nous étirer le cou en tous sens, nous ne voyions que des branches feuillues cuisant dans la fournaise du midi.

— Par la grâce de Notre-Seigneur! s'exclama une autre femme. Je la vois aussi; il y a des anges autour d'elle.

Puis elle retomba à genoux en soupirant d'un air béat.

— Qu'elle est belle!

Les oblats, répartis de manière plus ou moins uniforme au milieu des fidèles, encourageaient de leur voix de stentor les *Ave Maria* qui ébranlaient la colline. Un groupe de petits perroquets survola la foule en criant, étonnés de croiser cette assemblée tumultueuse et trépidante. Mamadou se pencha vers moi et me murmura à l'oreille:

— Vois-tu quelque chose dans cet arbre, toi?

Je plissai les lèvres et haussai les épaules pour masquer dans une attitude désinvolte le malaise que la scène me causait.

— On dirait qu'ils sont un peu dérangés, chuchotai-je. Pas complètement fous, mais un peu dérangés.

Dès que j'eus prononcé ces mots, je sentis la fièvre remonter en moi telle une crue soudaine, prenant naissance dans mon ventre et enveloppant mon corps.

Le sanctuaire parut s'éloigner de moi, aspiré par un

long tunnel alors que, tout autour, la colline, les manguiers, le ciel, même, devenaient rouges. Les prières se transformèrent en un ronflement sourd, de plus en plus obsédant, jusqu'à ressembler au bourdonnement de milliards d'insectes cherchant à pénétrer dans ma tête. Puis il y eut un déclic, et l'univers disparut.

4

Couché sur un lit de la clinique, je sentais le pansement tirer les poils de mon bras. Dans la saignée du coude, un carré de coton, maculé d'un petit point en son milieu, fermait la plaie. Au-dessus de ma tête, papa manipulait les échantillons de sang renfermés dans des éprouvettes rouge sombre. Il les tendit à Aïssata, son infirmière la plus accomplie.

— Prépare-moi les frottis. On va d'abord envisager la malaria. Ensuite, examen des selles et des urines pour les amibiases et les trucs habituels.

— Oui, *missié*, approuva Aïssata en employée modèle. Et la méningite? Avez-vous pensé à la rage... aux hyènes?

— Non, ça va. Manuel a été vacciné.

Sans un mot, Aïssata s'éloigna avec les éprouvettes tandis que papa revenait à côté du lit. Il retira un thermomètre de sous ma langue et l'étudia, les sourcils froncés.

Il prit mon pouls en fixant un point invisible sur le mur et vérifia ma tension artérielle avec un sphygmomanomètre, une espèce de ballon relié à mon bras.

— As-tu faim? me demanda-t-il en regardant la grosse horloge installée en haut de la porte.

Les aiguilles indiquaient quatorze heures vingt-deux.

— J'ai soif, répondis-je en essayant de me relever sur un coude.

Le tournis me prit et je me laissai retomber sur l'oreiller. Papa plaça une main sous ma nuque pour soulever ma tête et, de son autre main, il me présenta un verre d'eau. Je bus deux ou trois lampées qui réveillèrent un goût de pourri sur mes papilles. Je grimaçai.

La toux âcre d'un vieux paysan, alité à quelques pas de moi, déclencha une réponse similaire des huit patients qui partageaient le dortoir. Papa se pencha à mon oreille et murmura:

— Je pourrais te soigner dans ta chambre, mais je préfère te garder ici. Voir le fils du docteur traité comme eux, ça rassure les villageois. Sans comprendre davantage le rituel des examens et des prises de sang, ils acceptent mieux que les infirmières les lavent et les tripotent.

— Heureux de me rendre utile, dis-je en m'efforçant de sourire.

Semblant saluer ma venue, le vieux paysan se remit à tousser de plus belle en crachant un épais mucus verdâtre dans le seau à côté de son lit.

Lorsque papa m'abandonna pour se consacrer à ses autres patients, il me crut endormi. En réalité, je me sentais trop faible pour bouger, même pour ouvrir les yeux.

Les bruits ambiants de la clinique étaient devenus une musique sourde, presque apaisante. Le pas des infirmières était les basses; le cliquetis des seringues et des tensiomètres, les timbales; les chuchotements, les chœurs; les civières qu'on déplaçait, les violons…

J'ignore combien de temps il fallut à la voix de maman pour s'imposer dans cet univers. Mes parents me pensaient assoupi et chuchotaient, à trois pas de mon lit.

— Crois-tu qu'on devrait aviser la police? demanda maman.

— À Bobo-Dioulasso? As-tu idée du temps qu'ils vont mettre pour rappliquer ici?

— Non, à Banfora. Il y a une préfecture à cet endroit, non?

— Bonjour, la paperasse. Est-ce que c'est si suspect que ça, la conclusion que tu tires de ton examen?

— Écoute… Je ne sais plus. Son corps est déchiqueté, littéralement. Les blessures proviennent, de toute évidence, des crocs des hyènes: fractures comminutives, dilacérations, éventration…

— Mais?

— Mais il y a cette plaie à la hauteur de la carotide qui,

sans conteste, a entraîné la mort dès le départ.

— Ce n'est pas suspect; une hyène lui aura sauté à la gorge. C'est habituel, cette forme d'atta...

— La perforation passe par la base du crâne et pénètre jusqu'au cerveau. Il n'y a pas un croc de hyène assez long et fin pour produire une telle blessure.

— Même en supposant qu'il ait été saisi par la tête?

— Même là.

Dans le silence qui suivit, je sentis qu'une intense cogitation devait enfiévrer le cerveau de mon père. À l'évidence, ils se regardaient, maman et lui, partageant en silence, de façon identique, leurs hésitations, réfutations, justifications, apologies... Il y eut un soupir, puis papa objecta de nouveau, bien qu'avec moins de conviction:

— La pauvre veuve va avoir une attaque d'apoplexie si on ne lui rend pas bientôt le corps de son aîné. Tant qu'elle n'aura pas accompli les rites funéraires, elle craindra que l'âme de Mohammed ne vienne la hanter.

— Mohammed était musulman, rétorqua maman.

— Il n'a jamais pu convertir son entourage; la veuve va vouloir l'inhumer selon ses croyances animistes. Et si on avise les bons petits fonctionnaires, le corps sera à l'état de squelette le temps qu'ils s'amènent. On n'a pas de morgue ici; on augmenterait les risques de propagation de la rage.

— Et si on désinfectait le corps à la chaux? On n'a pas

un document quelque part qui nous y oblige?

— Je ne l'ai pas signé et personne, au ministère de la Santé, ne s'est soucié de mettre à jour cette formalité. Non, écoute, voici le compromis: tu remplis ton rapport selon tes observations sans rien cacher de tes doutes et de tes conclusions. Toutefois, on rend le corps à la famille. Si quelqu'un parmi les autorités prétend qu'on n'a pas suivi les procédures, je plaiderai l'importance des problèmes de contagion.

Comme pour donner raison à papa, trois nouveaux patients atteints de céphalées prononcées, d'hyperexcitation et de fièvre se présentèrent à la clinique en moins de deux heures. Dans chaque cas, les malades avaient été mordus par un animal au cours des jours précédents. Puisqu'on commençait à manquer de lits, papa dut se résigner à m'envoyer récupérer dans ma chambre où, de toute façon, je bénéficiais d'un environnement beaucoup plus calme.

Malgré cela, je dormis d'un sommeil agité, de la fin de l'après-midi jusqu'au lendemain, tard dans la matinée. Ma chambre semblait peuplée d'anges qui voletaient autour de moi en me fixant de leurs yeux rouges. Des hyènes albinos me poursuivaient au milieu d'une savane qu'une source magique avait transformée en bourbier.

Plusieurs fois, je m'éveillai en sueur, les draps détrempés, la tête carillonnante. J'eus vaguement conscience, à deux ou trois reprises, du visage inquiet de maman penchée sur moi, de la bonne qui plaçait un drap frais dans mon dos, des doigts qui auscultaient mon poignet, des mains qui sondaient mon front. Je retombais aussitôt dans mon univers sombre, humide et glacial où je me battais contre des monstres invisibles.

Quand je reconnus enfin les murs familiers de ma chambre, les images de navettes spatiales et les modèles géants de termites et de fourmis sur les étagères, je vis maman installée sur une chaise, un livre sur les genoux. Elle me souriait en passant une débarbouillette humide sur mon visage.

— Comment vas-tu, mon bonhomme? Tu m'as fait peur, tu sais.

Je fus surpris de noter avec quelle difficulté je parvenais à lui parler.

— Ça... va, maman. J'ai... j'ai juste soif.

— Tiens.

Elle me tendit un verre et, encore une fois, je trouvai à l'eau un goût saumâtre. Ensuite, elle glissa un thermomètre sous ma langue et enroula autour de mon biceps le brassard du sphygmomanomètre. Malgré mes étourdissements, elle me força à m'asseoir et parcourut ma poitrine et mon dos à l'aide de son stéthoscope.

— Aspire, m'enjoignait-elle. Expire... Aspire... Retiens ton souffle... Prends trois grandes respirations.

Pas comme ça, plus profondes…

Dans sa voix et ses mouvements un peu brusques, je reconnus davantage la docteure austère que la maman câline. Quand elle me permit de me recoucher, elle semblait soulagée.

— As-tu faim?

Je dus y penser vraiment.

— Non, répondis-je enfin.

— Il faut manger. Je vais demander à la bonne de t'apporter un bouillon.

Elle regarda sa montre, parut affligée.

— Maintenant, je file à la clinique, poursuivit-elle en souriant. Je n'ai pas que toi à soigner. Il y a des patients bien plus amochés.

Elle m'embrassa sur le front, se dirigea vers la porte et me jeta un dernier coup d'œil.

— Ça ira?

— Oui, mais je n'ai pas faim.

— Je t'ordonne de manger.

Et elle disparut.

Deux ou trois jours s'écoulèrent ainsi. Il y avait des périodes où je me sentais bien, d'autres où la fièvre revenait et, chaque fois, je me retrouvais plongé dans ce monde glauque grouillant d'yeux rouges.

Un soir où je venais de m'éveiller après un rêve agité, une discussion entre papa et maman me perturba. Je les entendais distinctement dans la chambre voisine où ils s'apprêtaient à regagner leur lit. Je ne savais pas pourquoi, sauf que les mots qu'ils échangèrent, banals, presque cliniques, rejoignirent un mal en moi, un mal qui, de prime abord, ne semblait pourtant pas me concerner.

— J'ai revu Dadouma aujourd'hui, perça la voix de maman.

— Lors de ta visite au village? s'informa papa sur un ton tel que je le soupçonnai de n'écouter que d'une oreille distraite.

— J'ai profité de quelques minutes seule avec lui pour lui reparler de sa fille.

— L'albinos?

— Oui. J'aimerais qu'il permette à l'adolescente de me voir en consultation. Je suis persuadée de pouvoir lui venir en aide. Il n'est pas sain de la laisser poursuivre ses chimères, de la laisser s'enfoncer dans des affabulations de visionnaire...

— Tut, tut, tut! l'interrompit papa. Que dirait la Sainte Vierge si elle t'entendait?

— Ne rigole pas avec ça; c'est très sérieux, ce cas. Selon moi, Sanou a des visions eidétiques, des hallucinations... Une forme d'acceptation qu'elle recherche dans son entourage.

— Mais pourquoi prétendrait-elle voir la Sainte Vierge? Que connaît-elle des croyances occidentales?

— Au début, prétendait-elle voir la Vierge? questionna maman. Je ne crois pas; je pense qu'elle voulait simplement attirer l'attention en disant communiquer avec un autre monde. Ce sont ces fichus oblats qui ont récupéré l'histoire à leur profit, pour riposter aux imams de Bobo-Dioulasso. Ce sont eux qui ont dû d'abord se convaincre, puis la convaincre, elle, que les prétendues apparitions relevaient de la volonté de la Madone.

Il y eut un moment de silence, et la voix de maman s'éleva de nouveau.

— Le cas de Sanou me touche beaucoup; j'aimerais tant pouvoir l'aider. Cependant, ce têtu de Dadouma refuse de croire aux évidences de la psychologie moderne et n'ose pas défier les éventuels djinns que sa fille côtoie.

— ...

— Est-ce que tu m'écoutes?

Les ronflements de papa mirent fin à la discussion.

***

Mon professeur, Mamadou et deux copains reçurent la permission de me visiter le quatrième matin. L'instituteur m'apporta des devoirs et les copains me confièrent des gris-gris divers. Maman s'empressa de les faire disparaître au cas où ils auraient été fabriqués avec des tissus d'animaux sacrifiés.

— Les chairs mortes, ça véhicule les bactéries, chuchota-t-elle.

Mamadou resta un moment après que les autres furent partis. Il espérait qu'une fois seul à seul je lui confierais des secrets à propos de ma maladie.

— Alors, c'est quoi ton mal?

— Je l'ignore.

— Tes parents, les docteurs, ils doivent le savoir, non?

— Pas encore. Les tests se poursuivent.

— Est-ce que tu crois que c'est le palu?

— Papa dit que les tests sont négatifs.

— Tu n'aurais pas dû boire de l'eau de puits.

— Tu en bois, toi?

— Oui. Tout le temps.

— Si tu en bois sans être indisposé, ce n'est pas ça qui m'a rendu malade.

Je le vis ouvrir la bouche, mais il se tut. Sans doute s'apprêtait-il à ressortir cette histoire de Blancs qui supportent moins bien les conditions de vie africaines.

— J'ai hâte de quitter ce fichu lit, marmonnai-je pour meubler le silence qui commençait à peser.

— C'est quand même incroyable que deux médecins toubabous ne parviennent pas à te guérir.

Je ressentis une atteinte cuisante devant ce constat d'échec qu'il dressait au sujet de mes parents. Je rétorquai d'un ton un peu acide:

— Papa affirme qu'il y a des tas d'affections bénignes difficiles sinon impossibles à identifier dans les pays tropicaux. Elles viennent, elles partent, sans que personne sache vraiment ce qui est arrivé.

Mamadou prit une expression pensive en regardant par la fenêtre.

— C'est pourquoi nous avons les marabouts, conclut-il enfin. Eux sont capables de reconnaître les troubles venus des djinns et des esprits contrariés des ancêtres.

— Papa ne croit pas aux djinns.

Il m'observa d'un air singulier, mi-amusé, mi-soucieux.

— Et tu restes coincé dans ce lit.

Avant de partir, tandis qu'il glissait les bras sous les sangles de son sac d'école, il proposa:

— Si tu veux, je peux parler de toi au vieux Dadouma. Il connaît des incantations, il sait sûrement fabriquer des fétiches pour ton mal.

Je réprimai un petit rire qui me donnait mal au ventre. Je soufflai:

— Papa et surtout maman n'accepteraient jamais que je serve de matière première à un envoûtement vaudou.

— Mmm... En tout cas, porte-toi bien. Je reviendrai te voir demain.

— *Anbedoni*, saluai-je en dioula.

5

J'étais assis sur la seule civière de la clinique, cherchant à ne
pas placer la main par inadvertance sur la trace de sang
séché qui maculait l'étoffe grise servant de drap. Une infirmière peu scrupuleuse des procédures avait sans doute
négligé de retirer le tissu après le passage du patient précédent, et Aïssata, débordée de travail, ne l'avait pas remarqué.

On venait de me prélever un ixième échantillon san-
guin et mes avant-bras commençaient à ressembler à ceux
d'un drogué. Je restais là, encore aux prises avec quelques
étourdissements, à attendre qu'on m'invite à retourner
chez moi ou à me coucher sur l'un des lits disponibles.

Sans vraiment m'y arrêter, j'observais les trois infirmières de service qui se promenaient entre les patients
allongés et ceux qui faisaient antichambre à l'entrée. De
pauvres villageois, en plus piteux état que moi, venaient
réclamer leur part de soulagement pour une entorse, un

bras cassé, un œil crevé.

Par les fenêtres sans moustiquaire et les portes ouvertes, de grosses mouches voletaient çà et là, se prenant à l'occasion dans la glu impitoyable des serpentins suspendus aux plafonniers.

Je me sentais flotter au milieu de l'animation coutumière de la clinique, détaché, comme si mon esprit se plaisait à surnager au-delà de mon corps. Peut-être étais-je blasé du quotidien pourtant variable et capricieux d'une clinique; peut-être aussi étais-je simplement trop affaibli pour focaliser mon intérêt sur la vie qui m'entourait.

Je repris un peu de tonus lorsqu'un Blanc, hirsute et couvert de poussière, apparut au milieu des patients qui attendaient.

— Est-ce que c'est possible de rencontrer le docteur, s'il vous plaît? demanda-t-il avec un accent qui me rappelait vaguement quelque chose.

Il était vêtu d'un veston de laine trop chaud dont les revers ne parvenaient pas à dissimuler les larges cercles de sueur qui tachaient sa chemise noire. Il portait un col romain. Son pantalon, déchiré à la hauteur de la cuisse gauche, était d'un tissu synthétique qui respirait mal et qui retenait la transpiration. Ses chaussures, trop élégantes pour la brousse, avaient perdu leur couleur d'origine pour s'apparier à celle de la piste.

— Il est occupé dans le bureau de consultations,

répondit Félicité, une très jeune infirmière qui passait son temps à onduler des hanches dans un uniforme trop serré. C'est à quel propos?

L'inconnu tenait la main sur sa cuisse en essayant de marcher sans boiter.

— J'ai eu un léger accident avec ma mobylette et je pense que j'ai besoin d'un pansement... ou de quelques points de suture.

Félicité prit deux secondes pour l'étudier plus en détail.

— Vous êtes un père, remarqua-t-elle. Vous êtes un oblat, non? Il y a une clinique privée pour vous à la chapelle. Vous devriez...

— Non, non, coupa l'étranger. Je ne suis pas... Je ne veux pas aller chez les oblats.

Je crus reconnaître une note d'appréhension dans la voix de l'homme. Je m'intéressai davantage à lui.

Son teint blême trahissait son arrivée récente en Afrique. Une calvitie avancée formait sur sa tête une couronne de cheveux plus sel que poivre. Les traits ravinés, les yeux tristes derrière d'épaisses montures noires, les lèvres minces et ridées, il devait avoir près de soixante ans. Le cou trop long qui émergeait de son col se découpait en nombreux tendons marqués au centre par une pomme d'Adam saillante et une fourchette sternale profonde.

Félicité le fit asseoir à côté de moi sur la civière. Il

grimaça en grimpant sur le bloc servant de marchepied.

— Bonjour, me salua-t-il en se forçant à sourire.

— Bonjour, répondis-je.

— Beau temps, hein?

Un vrai étranger; lui aussi parlait du temps.

— Laissez-moi voir, dit Félicité en tentant de repousser la main qui cachait la blessure.

Elle tira un peu sur la déchirure du pantalon pour l'agrandir et mieux découvrir la peau. Elle loucha en cherchant à prendre une attitude experte, puis interpella Aïssata à l'autre bout de la pièce.

— Je crois qu'il faut recoudre; veux-tu venir voir?

Aïssata s'approcha en maugréant en dioula. Je pense qu'elle rouspétait contre les filles qui n'y connaissent rien, qui se croient intelligentes et qui ondoient du bassin. Toutefois, je ne suis pas certain d'avoir bien traduit. Elle observa la blessure à son tour en retenant la main de l'étranger qui grimaçait de douleur et annonça:

— Ce n'est que superficiel, cerveau de babouin. Fais-lui une compresse, mais n'oublie pas de désinfecter avant.

Et elle s'éloigna sans même jeter un regard au Blanc atterré. Félicité, conservant son air digne, ondula vers l'armoire où étaient rangés les onguents et les gazes.

— Avez-vous reçu le vaccin antitétanique? demanda-t-elle par-dessus son épaule.

— Le... quoi? s'étonna le patient encore plus livide.

— Une piqûre contre le tétanos? Avant de venir ici. Avant de quitter l'Europe.

— Je... Je ne sais pas. J'ai reçu quatre ou cinq doses de... de...

— Ça devrait convenir, conclut Félicité sans se soucier davantage de l'immunisation du visiteur.

Pendant qu'elle fourrageait dans le matériel, l'homme se tourna vers moi.

— C'est... c'est un Blanc, le docteur en chef ici, hein?

— Oui, monsieur, répondis-je.

— Tu es blanc, toi aussi?

Je devinais que seuls l'anxiété et le désarroi l'amenaient à poser une question si superflue. Cependant, je me sentais fier qu'il puisse penser que je n'étais peut-être pas un Blanc. Que j'étais peut-être un Noir au teint pâlot. Je crois que c'est à cette seconde que je commençai à le trouver sympathique.

— Est-ce que c'est ton père, le docteur? Ou tu es un patient?

— Les deux.

Il me tendit une main droite couverte de poussière et d'éraflures.

—Je suis padre Angelo, dit-il. Le père Angelo. J'arrive de Rome, mais je suis né au Québec. Et toi, mon garçon?

— Je m'appelle Manuel; je suis né au Kenya.

Il me regarda, un peu décontenancé.

— On m'a raconté que ton père était canadien.

— Oui, mes parents sont canadiens; moi, je suis africain. Et je déteste le Québec. C'est trop froid, trop humide et le soleil se couche trop tard. Les villes sont trop grandes et les rues sont trop larges. Les voitures circulent trop vite, les maisons sont trop spacieuses et les cours sont trop étroites. Les gens sont trop sérieux et il n'y a pas de termitières!

— Ah? heu… non, ça, les termitières…

— Ôtez votre main.

Félicité revenait, armée d'un linge humide, d'un rouleau de gaze, d'une rondelle de ruban gommé, de ciseaux et d'un tube d'onguent.

En deux mouvements un peu brusques, elle découpa le pantalon à la hauteur de la blessure puis, après avoir nettoyé la plaie, y étendit une couche de pommade à l'odeur repoussante. Avec les doigts, elle appliqua un semblant de pression en guise de garrot tandis que, de sa main libre, elle taillait une gaze pour couvrir l'entaille. Elle paracheva son travail en apposant du ruban gommé sur la peau du padre.

— Et voilà! s'exclama-t-elle. Dès demain, vous danserez comme au jour de vos noces.

— C'est que je suis père catholique, rétorqua le pauvre religieux.

— Ce n'est pas grave, répliqua Félicité sans l'écouter. Ça va passer.

***

Par je ne sais plus quel concours de circonstances — intérêt pour un compatriote, propos réticents à l'égard des oblats ou sympathie naturelle —, padre Angelo mangea ce soir-là à notre table. L'événement était exceptionnel puisque mes parents en général, et maman en particulier, étaient catégoriquement anticléricaux.

Toutefois, nul ne pouvait demeurer insensible au charme de padre Angelo. Il était lunatique, pas prétentieux pour deux sous, ricaneur et avait l'allure d'un grand-papa rêveur. Il racontait des histoires à mourir de rire à propos de bagages perdus, d'avions confondus et d'arrivée dans des tripots pour débauchés plutôt que dans les hôtels où il avait réservé une chambre.

Je m'étais retiré de la table après avoir avalé quelques bouchées et m'étais calé dans le fauteuil du coin, d'où j'observais mes parents et leur invité. Depuis deux jours, j'avais pris l'habitude de m'y pelotonner une fois les repas terminés, histoire de ne pas me retrouver trop tôt seul dans ma chambre.

Papa vida dans la coupe de padre Angelo la dernière goutte de vin du repas, et les langues prirent un certain rythme. La retenue polie qu'on affichait à l'entrée ne tenait plus après le dessert. Maman, dont les yeux brillaient d'une lumière que je ne lui connaissais pas, demanda, sans gêne aucune:

— Mais vous qui vous disposiez à la recherche, à devenir un vieux rat de bibliothèque au Vatican, comment avez-vous abouti ici, au Burkina Faso? Pour quelle raison?

Le bon padre, en levant un index, indiqua de patienter tandis qu'il finissait le contenu de sa coupe dans un élégant mouvement du coude. En poussant un soupir d'aise, il répondit:

— Ce sont ces maudits oblats. Oh! pardon!

Il ricana, un peu gêné de sa bévue.

— Je veux dire: ces sacrés oblats. Ils se sont mis en frais de crier à tout vent que des activités visionnaires avaient cours ici. Sans attendre l'aval de l'évêque diocésain, contournant son autorité, sans la moindre preuve des faits apparitionnaires, ils ont fait la publicité de ces événements, entreprenant au Vatican les démarches visant à entériner l'authenticité des phénomènes. De plus, ils exercent des pressions indues afin d'obtenir l'imprimatur nécessaire pour les bulletins qu'ils ont commencé à annoncer dans les journaux européens et sur Internet.

— L'imprimatur? s'étonna papa.

Padre Angelo plissa les lèvres avec un geste vague de la main.

— Un cachet du Vatican. Une marque sur toute revue, livre, document qui certifie que les autorités religieuses ont pris connaissance des événements qui y sont exposés et qu'elles reconnaissent leur authenticité. Les ventes de ces imprimés sont alors centuplées parmi les communautés catholiques du monde.

— Je comprends, confia maman. Vous êtes donc ici en qualité d'expert du Saint-Siège pour enquêter sur les apparitions.

— Plus que vous croyez. Ma thèse de doctorat, mes recherches actuelles ainsi que mes articles dans les revues spécialisées du monde entier reposent sur la mariophanie à travers les âges.

— Mariophanie? Vous avez de ces termes, déplora maman.

— Oui, pardon, cela signifie: les apparitions de la Vierge Marie. Je suis une sommité, précisa-t-il en rougissant. C'est pour ça qu'on m'a expédié dans votre tr... votre région éloignée. Je dois rédiger au plus vite un rapport pour le Vatican et calmer les ardeurs des fondamentalistes de la CCA.

— Vous n'avez pas l'air de beaucoup les apprécier, nota papa.

Padre Angelo fronça les sourcils en agitant un index sévère.

— Ils ont ignoré l'évêque de Bobo-Dioulasso! Ils se sont improvisés gestionnaires des faits apparitionnaires; ils ont monté une entreprise mercantile à même la foi des fidèles. Ils organisent des pèlerinages sans l'aval des autorités compétentes… Ils… Ils sont immondes!

Maman éclata d'un gros rire sincère.

— Comme vous y allez! s'exclama-t-elle. Et comme je suis d'accord avec vous! Topez là, curé!

Et elle frappa sa paume contre celle d'un padre Angelo trop heureux de s'être attiré des alliés si facilement.

— Madame?

La bonne se tenait dans le cadre de la porte, essuyant ses mains mouillées sur son tablier crotté.

— Oui?

— Madame, il y a ici le marabout qui veut vous voir.

— Qui? s'étonna papa.

— Le marabout, *missié*. Dadouma Traoré.

6

Cet après-midi-là, je me sentais en meilleure forme et j'attendais, assis sur un banc près de la porte d'entrée de la clinique, que papa veuille bien me donner mon congé. Mentalement, je cherchais les arguments que je lui opposerais s'il m'ordonnait de rentrer à la maison plutôt que d'aller à l'école.

Je pris une grande inspiration en le voyant s'avancer vers moi, déjà prêt à le noyer de ma faconde, lorsqu'il s'immobilisa brusquement, son élan coupé par la porte qui venait de s'ouvrir et par les hommes qui arrivaient en trombe.

D'abord surpris par les cris et l'agitation, je ne remarquai pas tout de suite le magma sanguinolent mêlé de boue et de viscères qu'on s'efforçait de soulever. Une jambe, qui n'était plus que lambeaux, traînait dans un angle insolite en dessinant sur le sol des arabesques carmin formées par les mouvements énervés des porteurs.

Papa aboya quelques ordres et les infirmières de service, dont l'indispensable Aïssata, se précipitèrent pour libérer un lit aux draps souillés par le malade précédent. Il importait peu, en réalité, que les draps fussent propres ou sales. Le nouveau venu semblait déjà mort. Papa posa son stéthoscope sur la poitrine affaissée et souleva les paupières pour fixer les iris, à la recherche du moindre signe vital.

— On l'a trouvé en dehors de la piste, à l'ouest du village, s'époumonait un homme bouleversé et agité de spasmes. C'est le ricanement des hyènes qui nous a attirés. Le corps était étendu dans les herbes, on a effrayé les bêtes, on a…

— Ça va! Écartez-vous, ordonna papa qui s'efforçait d'évaluer les blessures tout en appuyant à deux mains sur le thorax du patient pour rétablir les pulsations cardiaques.

Il s'arrêta soudain, les sourcils froncés, et leva, à la hauteur de l'abdomen, la chemise imbibée de sang.

— Mais il n'a plus d'intestins! s'étonna-t-il.

— Non, dit le porteur surexcité. On les a laissés là-bas; on n'avait pas le temps. Il fallait ramasser ce qui traînait, il fallait amener le blessé ici, il fallait…

D'un geste las, papa mit sa main sur l'épaule de l'homme tout en indiquant à Aïssata de couvrir le visage du défunt avec le drap.

— Sa famille est-elle au courant? demanda papa.

— Non, Toubabou. Est-ce qu'il est mort, Toubabou?

— Qui est-ce?

Ce fut Aïssata qui répondit en plaçant le drap sur le visage crayeux.

— Il s'appelle Saye. Saye Séré.

— C'est ça: Saye. C'est étrange, pas vrai, Toubabou?

Papa fronça de nouveau les sourcils en observant les hommes dépités devant lui.

— Pourquoi étrange? s'enquit-il.

— Saye était le cousin et le meilleur copain de Mohammed; ils étaient toujours ensemble. Et voilà que, à quelques jours d'intervalle, les deux meurent de façon identique.

***

Le soleil inondait le sommet de la colline d'une lumière violente, aveuglante. Une touffeur sèche enveloppait les herbes que même les serpents et les insectes semblaient s'être aliénées. Très haut, les vautours planaient sans relâche, ailes grandes déployées, trouvant peut-être en altitude un peu de la fraîcheur que la terre ne dispensait pas.

Les manguiers, courbés sous le poids du feu solaire, étendaient leurs branches pour mieux nous inviter à chercher le refuge des ombres qu'ils projetaient. Les oiseaux et les grillons s'étaient tus, et la poussière de la piste restait en suspension, figée au-dessus des cailloux et des pousses, décolorant le pourtour de la savane.

L'horizon ondoyait en courbes douces, image éphémère susceptible d'être soufflée sous l'assaut du moindre vent.

Je m'étais installé en compagnie de mes parents, de padre Angelo, de Dadouma et de Mamadou sur une butte un peu en retrait, mais qui offrait une excellente vue d'ensemble. Ouendé devait nous accompagner, sauf que la mort de Saye l'avait gardé au village.

— En tant que chef de la communauté, avait-il indiqué, je dois réconforter la famille et être solidaire dans le chagrin. Les deux sœurs qui perdent leur fils aîné, c'est une tragédie, ça, c'est sûr.

En réalité, je crois que Ouendé ne se plaisait guère auprès de Dadouma. Je ne pense pas non plus qu'il appréciait la compagnie de maman.

Papa avait planté un parasol un peu rapiécé près de l'acacia tordu qui marquait l'éminence. Nous étions regroupés assez serré les uns contre les autres, ce qui nous permettait d'échanger sans trop élever la voix et sans nous faire entendre des pèlerins et des curieux qui occupaient la colline.

Retiré sur les branches d'un arbre en contrebas, Sangoulé se pelotonnait dans la coupe, appuyé contre le tronc, semblant se troubler davantage du spectacle qui l'entourait que des moqueries des enfants qui raillaient ses dents proéminentes.

Aux dévots occidentaux s'étaient maintenant joints des croyants burkinabés venus de partout au pays. Trois autocars archipleins partis de Ouagadougou et de Bobo-Dioulasso avaient cahoté sur la piste mal dégrossie pour répandre leur lot de fidèles enthousiastes et donner à notre carré de savane des allures de kermesse.

À cause du danger suscité par les hyènes, quelques voix avaient tenté de s'élever au village pour empêcher les pèlerins d'envahir la région. Toutefois, puisqu'il aurait fallu confronter les visées dévotes des oblats, puisque la présence de nombreuses gens pouvait, au contraire, forcer les hyènes à quitter le territoire, les anciens choisirent de maintenir le *statu quo...* Pour le moment.

Des villageois bobos, prisant le filon, adaptèrent en cantines ambulantes quelques carrioles tirées par des ânes et s'installèrent au pied de la pente. Des vendeuses de galettes, de fruits, d'eau, de cigarettes roulées à la main et de tout ce qui est susceptible d'être acheté circulaient entre les rangées de fidèles en prière.

— *Sigerti*, Toubabou? *I bi mi*? Veux-tu des cigarettes, Toubabou?

— *Dji! I bi dji fe*, Nasaara? Qui veut boire de l'eau?

— Qui veut le bon poulet, ici? Bien gras, bien vivant?

Une femme consternée indiquait non de la tête en

reculant pour éviter les coups d'aile que la volaille prodiguait en se débattant.

— Veux-tu la grenouille, Toubabou? Les Français, ils aiment ça, la grenouille.

Un grand-papa, plié tel un trombone, refusait d'un sourire niais.

Padre Angelo soupira.

— Les vendeurs n'ont pas été très longs à envahir le temple, se plaignit-il en repoussant avec force sourires un gamin qui cherchait à lui fourrer ses trois arachides dans les mains.

Maman lui donna une tape vigoureuse sur l'épaule pour l'encourager.

— Ne soyez pas amer, padre. Ce n'est pas un vrai temple, ici, c'est un carnaval.

— Je suppose qu'il faut le voir ainsi.

— Ces gens sont très pauvres, se crut obligé de préciser le vieux Dadouma. Pour eux, chaque occasion de gagner de l'argent est à saisir. On ne peut pas les blâmer pour ça.

Des gamins crottés, aux cheveux emmêlés, la morve au nez, le ventre ballonné, les fesses sautillantes, promenaient leur sexe nu devant les grands-mamans scandalisées. Ils circulaient sans pudeur aucune, contournant les parapluies improvisés en parasols, enjambant les fidèles allongés, observant la foule d'un regard curieux, étonné, sous les récriminations des oblats qui tentaient de les éloigner.

Des bribes de prières fusaient ici et là au milieu des rires et des éclats de voix.

Je vis des villageoises désigner un Blanc qui s'était appuyé sur sa canne pour se rendre jusqu'à un buisson, à l'écart, et satisfaire un besoin naturel. L'une s'étonna:

— Où est-ce qu'il va, celui-là? On a pourtant avisé chacun de rester avec son groupe. Il va se faire bouffer le petit oiseau.

— Penses-tu que ça le concerne? répliqua sa voisine. Les hyènes sont racistes; elles ne mangent que les Noirs.

— C'est sûr! pouffa la troisième villageoise. Les Nasaara, ils goûtent mauvais!

Et, relevant la tête pour éclater de rire, elle m'aperçut. Elle s'étrangla à demi avant de s'empresser de parler des insectes qui venaient d'envahir la couverture sur laquelle elle était assise. Je ne me sentais pas visé par sa remarque, mais j'étais un peu triste pour mes parents.

Avec une étonnante soudaineté, le silence se fit. Bien que nous ne pussions encore la voir de notre position, nous devinions que Sanou, la Soungoroni, venait de paraître dans la plaine en contrebas. Il s'écoula plusieurs secondes pendant lesquelles j'observai les têtes des dévots et des villageois, tournées dans la direction d'où arriverait bientôt la voyante.

Les enfants, quoiqu'ils ne comprissent pas la situation, savaient d'instinct qu'ils devaient cesser leurs gambades et leurs rires. Ils pressentaient la solennité du moment où l'albinos, seule à son habitude, drapée dans son large boubou noir, accéderait au sanctuaire.

Moi-même, j'appréhendais sa venue, craignant une fois de plus de croiser son regard rouge, si semblable à ceux des démons qui peuplaient désormais mes cauchemars. Il n'était pas question que j'utilise les jumelles que papa, maman et padre Angelo s'échangeaient à tour de rôle pour la voir de plus près.

Elle apparut enfin, sa main gantée fermant le voile sur son visage, traversa les rangées de fidèles et enjamba d'un pas souple la marche menant à l'abri. Sans un seul regard vers l'assistance, elle affecta la position humble qui la caractérisait, son voile rabattu, son visage relevé vers le manguier. Le grand oblat qui agissait à titre de chef l'entretint un instant près du marchepied; elle ne donna aucun signe montrant qu'elle écoutait.

Les minutes passèrent. Du coin de l'œil, je scrutais la mine confondue du vieux Dadouma. Je me demandais quelles pensées pouvaient l'habiter à ce moment, lui qui vénérait tant l'âme des ancêtres et qui trouvait sa fille conversant avec une divinité appartenant à une autre culture, à un autre monde.

— Ce qu'il faudrait pour convaincre les autorités

ecclésiastiques, chuchota padre Angelo pour tuer le silence qui maintenant le dérangeait, ce serait que l'adolescente accomplisse un exploit impossible à reproduire sans intervention céleste. Autrement dit, qu'elle opère un miracle.

Papa se pencha vers lui en déposant les jumelles dans la main tendue de maman.

— Elle a fait surgir de l'eau du sol, murmura-t-il. Je vous jure qu'il n'y avait rien ici avant. J'ai déjà parcouru cette colline et je sais qu'on n'y voyait pas la moindre trace d'eau.

— Et où ce ruisselet prendrait-il sa source? demanda maman en regardant dans les jumelles. Il n'y a pas d'autres élévations dans le secteur; elle ne peut pas couler vers le haut! J'avoue que c'est un peu intrigant.

Padre Angelo plissa les lèvres et hocha la tête de gauche à droite. Les yeux tournés vers le sanctuaire, il expliqua:

— Ça, ce n'est pas un miracle. Cette eau peut prendre sa source à des dizaines, voire des centaines de kilomètres d'ici. Un étang, une mare, un réservoir quelconque enfoui dans le sol et sis sur une colline plus élevée peut décharger son trop-plein dans un lacis complexe de canaux souterrains. La nappe phréatique, même dans les régions tropicales, n'est souvent pas très profonde. L'eau peut surgir de n'importe où, n'importe quand, et sans raison apparente.

— Il faudrait quoi, alors, pour satisfaire le Vatican?

Quelles sortes de miracles?

— Un phénomène climatique localisé et inexplicable, par exemple, répondit padre Angelo. Ou une manifestation visible de l'apparition dont nous serions tous témoins. Une glossolalie. Des choses du genre.

— Une glo... glo quoi?

— Glossolalie. Un don soudain pour parler une langue étrangère que la voyante n'a jamais apprise. Ça, ce serait considéré comme une preuve acceptable.

Maman sourit en lui donnant encore une tape sur l'épaule. Décidément, elle l'aimait bien, le père catholique.

— Vous mettez la barre haut, se réjouit-elle, ça me plaît. Vous ne vous laisserez pas berner par de petites manifestations un peu... euh... hors de l'ordinaire.

— On peut aussi conclure à l'authenticité des faits apparitionnaires, reprit le prêtre, si un message transmis par la Vierge correspond à un renouvellement de la bonne nouvelle, celle de l'Évangile. C'est une constante dans les mariophanies reconnues. On y trouve des appels à la conversion, à la pénitence et à la prière. Or, ici, semble-t-il, jamais Sanou ne s'adresse à la foule; jamais elle n'annonce de message que la Vierge lui demanderait de transmettre.

— Ma fille n'est pas une fraudeuse, objecta Dadouma qui gardait un air sévère en observant la foule de son seul œil valide. On abuse d'elle, probablement, mais elle n'est pas une fraudeuse.

— Je ne prétends pas qu'elle le soit, cher monsieur Traoré, répondit padre Angelo avec beaucoup de douceur. Peut-être reçoit-elle de simples communications... disons, privées. Cela s'est déjà vu dans des cas approuvés par l'Église. C'est pourquoi je devrai rencontrer votre fille.

«Si je découvre qu'elle est victime de ses propres illusions et de la convoitise des oblats, j'en aviserai mes supérieurs qui obligeront ces mécréants à cesser leurs activités sur-le-champ. Si les oblats n'obtempèrent pas, ils seront rapidement abandonnés, tant par les hautes instances vaticanes que par leurs fidèles, ceux qui leur rapportent de l'argent. Ils se désintéresseront alors de votre fille, et nous aurons la voie libre pour la guérir de ses troubles psychiques.»

— Ça y est! murmura tout à coup Mamadou. Elle voit... Elle a ses visions.

La Soungoroni venait en effet de se jeter à genoux en joignant les mains devant sa poitrine. Dans le synchronisme de la foule qui changeait de position pour s'agenouiller, une vague créée par les corps ondoya sur la colline. Surpris au milieu de ce mouvement concerté, les enfants se figèrent davantage. Les oblats cessèrent de les presser et les enfants hésitèrent entre reprendre leurs gamineries ou fuir pour retrouver leurs parents pétrifiés, à l'écart.

Pareil à une cascade grondant au loin, le murmure des

prières se gonfla pour générer à son tour une atmosphère lourde, oppressante de ferveur, étouffante d'exaltation contenue.

À la fois intrigués par l'attitude mystique de Sanou et fascinés par le calme pieux de la foule, nous guettions le moindre changement de lumière dans la ramure du manguier, le plus petit indice de mouvement dans le feuillage. Aucune brise, si discrète fût-elle, ne venait rompre la lourde immobilité de l'arbre. Le temps se suspendit... semblable aux vautours qui planaient inlassablement dans les nues.

Puis il y eut un cri. Un cri strident qu'une dévote venait de lancer en se soulevant à demi.

— La Vierge! Je la vois!

— Que le Seigneur me bénisse! s'exclama une voisine. Je la vois aussi!

Et elles se relevèrent toutes deux, serrant leur chapelet, fixant le manguier d'un air comblé. La prière enfla davantage tandis qu'une minorité de dévots s'attardaient aux balancements extasiés des voyantes en paraissant se demander pourquoi la Vierge ne leur faisait pas grâce de la même faveur.

Je tournai la tête vers padre Angelo. Il conservait un visage stoïque, observant chaque détail de la scène qu'il consignait dans un carnet posé sur ses genoux.

— Oh! bonne Sainte Vierge! Oh! bonne Sainte

Vierge! lança une troisième femme en se redressant. Regardez l'arbre. Il tangue, il danse, il se tord!

— Oui! confirma un homme qui se levait en refermant son parapluie. Il va se déraciner!

J'avais beau me forcer la vue, le manguier restait en place, immobile dans la touffeur africaine. Mamadou et moi échangeâmes un regard interrogateur; lui non plus ne remarquait rien de particulier.

— Transes hallucinatoires collectives, chuchota maman. Le soleil commence à leur taper trop fort sur la tête.

— Non, pas le soleil, corrigea padre Angelo qui continuait à écrire calmement dans son carnet. Réaction prévisible d'individus qui magnifient un fantasme au point de le voir se matérialiser. Dans une foule, le phénomène se répercute d'un exalté à l'autre en s'intensifiant.

— Ils sont tous un peu fous? demanda papa.

— Non, simplement trop... galvanisés.

De nouveaux cris, plus forts cette fois, éclatèrent dans une rangée où se côtoyaient des fauteuils roulants. Une vieille femme vêtue d'une robe blanche et d'un gilet rouge vif, les deux mains appuyées sur les bras de sa chaise, se levait doucement. Les cris venaient d'une jeune fille près d'elle qui s'inquiétait de la voir tomber. La femme au gilet, avec d'infinies précautions, lâcha le fauteuil et se tint debout sur deux jambes un peu tremblotantes.

— Prêtez-moi les jumelles, dit padre Angelo à maman.

— Elle est debout! s'écriait la jeune fille. Elle... elle est guérie. C'est un miracle!

La femme, les mains serrées sur son gilet rouge, regardait la foule en souriant. Puis, recueillant ce qu'elle possédait de courage, elle osa faire un pas, hésitant, chancelant, puis un deuxième, puis un troisième, sous la rumeur de la foule en pâmoison. Les oblats manifestaient leur bonheur en levant les bras au ciel et en caressant la tête des dévots près de qui ils circulaient. Ils s'échangeaient des sourires rayonnants en gloussant.

— Un miracle! continuait à hurler la fille. C'est un miracle!

— Tiens, tiens! s'exclama padre Angelo derrière les jumelles. Je la connais, celle-là.

— Vraiment? s'étonna maman.

— Aucun doute, c'est bien elle. Donã Rosa Motta. Elle est portugaise, je crois. Elle nous a joué la même scène de guérison à Medjugorje, en Bosnie-Herzégovine, l'an dernier.

Il baissa les jumelles pour nous regarder.

— Je voudrais préciser, ajouta-t-il avec un sourire narquois, que les apparitions de Medjugorje ne sont pas authentifiées par le Vatican.

— C'est une fraudeuse, alors!

— Peut-être pas. Il s'agit plutôt d'une grand-mère un peu fofolle qui se complaît dans le spectacle de sa propre guérison. Elle aime sentir sur elle le regard de tous ces gens émerveillés, un peu envieux, qui l'imaginent touchée par la grâce. À force de se faire reconnaître par d'autres dévots, elle nuira aux prétendus voyants.

Je m'attardai au vieux Dadouma qui avait baissé la tête et n'osait plus lorgner le sanctuaire. Sans doute ne savait-il plus quoi penser des manifestations dont sa fille, malgré elle, était la cause. Je remarquai que sa lèvre inférieure tremblait et qu'il s'efforçait de ne pas pleurer.

Dans son abri sacré, Sanou semblait sourde aux manifestations extasiées derrière elle. À genoux, fixant le manguier, elle n'avait pas bougé. Quand, après cinq à dix minutes additionnelles d'émoi et d'agitation dans l'assemblée, elle déplia les jambes pour se relever, un silence aussi soudain qu'irréel, encore une fois, s'abattit sur la colline.

L'adolescente se retourna et observa la foule, paraissant surprise tout à coup de la trouver là. Elle balaya la crête des yeux et s'immobilisa dans notre direction. Dadouma releva le menton, la regarda… et étira un long sourire triste, rempli d'affection. En dépit de la distance, je la vis sourire en retour. Sanou fixa ensuite l'assemblée, prit une profonde inspiration et cria:

— La dame blanche m'a livré ce message: «Parle à la foule; parle aux pèlerins. Dis-leur: L'Église qu'a adoptée

Jésus est une, parce que Jésus est un. L'Église est le royaume des cieux sur la terre. Qui l'a divisée a péché, et qui s'est réjoui de sa division a péché. Jésus l'a bâtie toute petite. Et quand elle a grandi, elle s'est divisée. Qui l'a divisée n'a pas l'amour en lui. Rassemblez. Priez, priez, priez. Qu'ils sont beaux mes enfants, à genoux humblement. N'ayez pas peur. Je suis avec vous. Ne vous divisez pas comme le font les adultes. Vous apprendrez aux générations les mots "unité", "amour" et "foi".» Voilà le message de la dame blanche pour vous.

Les oblats ne parurent d'abord pas très enthousiasmés par la déclaration de la Soungoroni. Ils se demandaient sûrement si l'allusion aux divisions de l'Église s'adressait à la CCA. Reprenant enfin son aplomb, l'un d'eux lança:

— Comment s'appelle la dame blanche, Sanou? Lui as-tu posé la question? Que t'a-t-elle répondu?

L'assistance avait les yeux rivés sur la bouche de la Soungoroni afin de ne pas perdre une syllabe de ce qu'elle s'apprêtait à révéler.

— Je n'ai pas demandé, confia-t-elle simplement.

Rajustant son boubou, l'adolescente rabattit le voile sur son visage et quitta l'ombre du sanctuaire pour traverser l'auditoire en descendant la pente en direction du village. Chacun la suivit des yeux, sans bouger.

Tout ce temps, j'avais continué à fixer le visage de Dadouma qui oscillait entre le doute, le désarroi et l'embarras. Et si la fille d'un vieux marabout avait bien été choisie par des dieux étrangers pour propager une foi étrangère? Que penseraient d'elle — et de lui — les âmes des ancêtres qui épiaient leurs moindres gestes? Quelles réflexions avait-il méditées, quels gestes avait-il commis, quel sort avait-on jeté sur sa lignée pour qu'ainsi sa fille, son sang, véhicule les prêches du Vatican? Pendant une seconde, l'espoir fou qu'il s'agissait d'une formidable illusion, d'une immense hystérie collective, ralluma la lumière dans son œil valide. Il se tourna vers maman et posa une main osseuse sur la sienne:

— Est-ce que c'est d'accord?

Elle lui renvoya son sourire le plus affectionné avant de baisser les yeux.

— Non, je ne peux pas vous abandonner mon fils.

Deux soirs auparavant, quand Dadouma était venu chez nous après le repas, papa avait cru qu'il voulait une consultation urgente à cause de sa malaria. Après les sempiternelles salutations d'usage et les présentations avec padre Angelo, le vieil homme refusa l'aide que papa lui proposait.

— C'est moi qui viens vous offrir mon soutien, rétorqua-t-il. Pour une fois, c'est vous qui avez besoin de moi.

— Que voulez-vous dire? demanda papa.

Il avait levé son index arthrosique vers le fauteuil dans

lequel j'étais recroquevillé.

— Le jeune Toubabou est malade. Votre médecine ne parvient pas à soigner son mal; ma médecine à moi le peut. J'ai parlé à la Komansa, j'ai effectué le *tièrè tio*, ce qui signifie que j'ai tapé la calebasse; je connais maintenant le *yapèrè* à fabriquer.

— Ah! mais il n'en est pas question! s'opposa aussitôt maman avec l'emportement qui la caractérisait. Je ne laisserai personne faire la danse du ventre autour de mon petit.

— Madame, avait repris Dadouma calmement, il y a des maux pour lesquels la médecine des Toubabs est bonne; il y en a d'autres, venus des djinns, pour lesquels il faut la médecine des djinns.

— Jamais! se buta maman.

— Dadouma, il faut nous comprendre, chercha à tempérer papa. Notre culture ne nous permet pas de confier notre enfant à des rituels qui risqueraient de le perturber. Nous ne partageons pas votre culte des ancêtres et des djinns.

L'index du marabout était toujours levé vers moi.

— Son visage indique pourtant que l'Afrique a déjà tracé son passage.

— Ce n'était pas volontaire, contesta maman. C'était un accident.

— À moins que… commença papa.

— À moins que? répéta Dadouma.

— Quoi, à moins que? les brusqua maman, les sourcils froncés.

— Qu'il y ait échange de bons procédés, précisa papa.

— Explique-toi, docteur, grinça maman en fixant papa avec un air signifiant «Tu as besoin de peser tes mots et de ne pas m'embarquer dans une histoire tordue, mon gaillard!»

Papa montra maman de ses paumes tournées vers le haut.

— Si vous permettez à mon épouse de rencontrer votre fille Sanou pour quelques consultations d'ordre psychothérapeutique...

Il désigna le marabout de la même manière.

— ... vous serez autorisé à pratiquer sur notre fils un rite de guérison propre à vos coutumes.

— Jamais de la vie! clama maman.

— Je ne crois pas que ce soit équitable, répondit Dadouma, plus diplomate. Ma fille n'est pas du monde des vivants.

— Notre fils n'est pas possédé par des forces maléfiques! s'offusqua ma mère en fusillant papa d'un regard enflammé. Tu as trop bu de rouge, docteur!

Mon père plaça cette fois ses deux mains devant lui en soulevant les sourcils dans une attitude de résignation.

— Je cherche un compromis, moi, sans plus. Chacun tient à venir en aide à l'enfant de l'autre, mais aucun n'accepte la méthode proposée. Qu'y puis-je, sinon servir de tampon à vos explosions outrées?

— Je comprends vos efforts, lui assura Dadouma, je vous en remercie.

— Ah oui, je te remercie, ironisa maman en continuant à regarder mon père d'un air furibond.

— On vous remercie tous, conclut padre Angelo qui avait suivi la discussion sans oser intervenir. Merci. Amen.

Et il laissa échapper un hoquet.

7

Il y eut conseil des anciens sous le grand kapokier dès le petit soir. Cette fois, personne n'entendait à rire; le rapport que mes parents venaient d'envoyer à la police de Banfora était sérieux. Les blessures de Saye à l'abdomen étaient bien dues aux crocs et aux griffes des hyènes qui commençaient à le déchiqueter quand les villageois étaient arrivés. Toutefois, une entaille au thorax était inexplicable. Étroite et profonde, elle s'enfonçait entre deux côtes jusqu'au cœur et c'était elle, sans équivoque, qui avait entraîné la mort.

Contrairement à l'usage, j'étais présent à l'assemblée, assis entre papa et maman. On me tolérait avec les adultes parce que maman s'inquiétait maintenant quand j'étais en dehors de son champ de vision. Son inquiétude gagnait l'entière communauté qui avait trop de respect pour son autorité et son caractère pour ne pas tenir compte de ses appréhensions.

Padre Angelo assistait lui aussi à l'assemblée, à côté du vieux Dadouma. Les deux hommes semblaient s'être liés d'amitié, rapprochés, prétendaient-ils, par leur rôle de liaison entre les vivants et les esprits. Moi, je crois que padre Angelo avait simplement le don de se faire des amis.

Dadouma animait la séance avec la même autorité que Ouendé, près de lui.

— En acceptant l'idée que les hyènes ne sont pas responsables de la mort des deux garçons, dit le marabout, on peut parler d'assassinats ciblés. Ce serait une coïncidence étonnante que deux victimes qui copinaient tant se retrouvent, par hasard, sous les coups d'un meurtrier.

— Avaient-ils un ennemi commun? s'informa papa.

Ouendé effectua un signe vague avec la main en avançant les lèvres dans une moue:

— Des tas d'ennemis, ça, c'est sûr. Il paraît qu'à Bobo-Dioulasso ils se sont acoquinés avec des canailles qui étaient déjà en conflit avec d'autres canailles.

— Ils peuvent s'être mis à dos autant les uns que les autres, précisa un ancien.

— Et dans le village? demanda maman.

Les hommes se jetèrent des regards gênés.

— Dans le village, hésita un notable, eh bien, disons que...

— Ce n'est pas tout le monde qui les aimait, ça, c'est sûr. Il se pourrait...

— C'est le travail de la police que de trouver les criminels, coupa Dadouma. On ne va pas se mettre à se méficr les uns des autres, on a déjà assez de problèmes.

— Vous avez raison, Dadouma, approuva maman en baissant les yeux pour la première fois. Je suis désolée. Cette histoire me bouleverse plus qu'elle ne devrait. Probablement à cause de ces problèmes auxquels vous faites allusion: les hyènes, l'épidémie de rage, le harcèlement des oblats... tout, quoi.

Dadouma posa son œil valide sur elle et ils se toisèrent un instant en silence. Les deux savaient que ce «tout» incluait les visions de la fille du marabout.

— Et les oblats, justement? suggéra le notable. N'avaient-ils pas menacé les garçons?

Ce fut padre Angelo qui réagit.

— Mais ce sont des prêtres! Des hommes de Dieu, allons!

— Ce ne serait pas la première fois que des hommes de Dieu troqueraient le crucifix pour le poignard, siffla maman en fronçant les sourcils et en se tournant vers l'ecclésiastique.

— Docteure, quand même!

— L'histoire regorge d'exemples, curé. En voulez-vous quelques-uns?

— Allons! intervint papa. Cessons d'accuser à gauche et à droite. Dadouma l'a signalé, nous ne sommes pas ici pour cela. Je croyais qu'on devait débattre des mesures de sécurité à adopter pour éviter que de nouvelles morts surviennent.

— Ça, c'est sûr.

— Je pense qu'il faut interdire aux gens du village de se promener seuls dans la savane, avança Dadouma. Je donnerai l'exemple en empêchant ma propre fille de se rendre à la colline.

— Et l'école? lançai-je en fixant le sol.

Je sentais que les anciens me dévisageaient en se demandant s'ils devaient répondre à un enfant qui n'était que toléré au milieu de leur assemblée. Par respect pour papa et maman, sans doute, Dadouma y consentit.

— L'école sera suspendue, décida-t-il. Tant que les policiers de Banfora n'auront pas trouvé la cause des décès, nous ne courrons pas le risque d'envoyer nos enfants se faire attaquer par une bande de hyènes.

Et, par «bande de hyènes», nous comprîmes que le marabout ne limitait pas son propos à une image zoomorphique.

***

Maman avait fini par calmer ses inquiétudes et, maintenant, me laissait seul. De toute façon, une journée sur deux, je me sentais trop faible pour sortir de ma chambre.

Je passais alors mon temps à dormir, à lire ou à réviser mes notes de cours. Les jours où je me sentais bien, puisque l'école était fermée et qu'aucun enfant n'avait la permission de s'éloigner du village, je limitais mes expéditions aux abords immédiats de la clinique.

Les villageois qui n'avaient pas de raison valable pour quitter l'agglomération étaient priés de rester chez eux. Les paysans qui se rendaient aux champs ou qui menaient paître leur troupeau ne se déplaçaient plus qu'en groupe de quatre ou cinq. Mamadou profitait de l'escorte des nombreux visiteurs de la clinique pour venir me retrouver. Nous ne mîmes guère longtemps à nous ennuyer sérieusement.

Un midi, tandis que nous déambulions le long du mur de pierres qui protégeait le dispensaire des trombes de poussière soulevée par l'harmattan, Mamadou se pencha sur la bande de sable que nous suivions. De l'index, il montra une série de traces dans le sable.

— Que regardes-tu? demandai-je.

— Un varan, répondit-il. Il vient juste de passer ici. La bête semble de bonne taille.

Il s'empara d'un gros caillou et se redressa en tirant le lance-pierre qu'il gardait en permanence dans la poche arrière de son pantalon. Il me désigna des fourrés au sommet d'une butte devant nous.

— Suis-moi.

À peine avions-nous gravi l'éminence qu'un énorme reptile apparut, immobile, à moins de cinq mètres. Seul un clignement de paupières le trahissait; il tentait de se fondre dans la grisaille des pierres. Son dos gris-brun était tacheté d'ocelles jaunâtres aux contours foncés; sa queue annelée reposait au sol en dessinant un large croissant de lune. Il mesurait plus d'un mètre et devait peser près de deux kilos.

Doucement, Mamadou prit son lance-pierre et visa l'animal. Je ne vis pas le projectile filer, mais j'entendis le sifflement qui suivit le relâchement de l'élastique. Le varan sursauta en créant un geyser de poussière. Il fit deux pas avant de s'arrêter contre un mamelon de terre. Du sang coula de ses narines.

Mamadou poussa une exclamation de victoire en replaçant le lance-pierre dans sa poche.

— Joli coup, remarquai-je.

— On aura de la viande ce soir! se réjouit-il en retournant la carcasse.

— Cela m'étonnerait, corrigeai-je en me désolant de devoir réduire son enthousiasme. On nous a interdit de consommer de la chair sauvage tant que l'épidémie de rage n'aura pas été maîtrisée.

Il me regarda d'un air accablé.

— Ah! zut! j'avais oublié. J'ai tué cette bête pour rien.

Ce n'est pas tant que Mamadou se préoccupait d'écologie et de conservation, c'est qu'en tuant le varan, ce jour-là, il ne risquait plus de le retrouver quand il serait de nouveau permis de manger les animaux de la savane. Un pli horizontal barrait son front tandis qu'il contemplait le gros reptile dont le sang, déjà, coagulait au soleil.

— Et si on s'amusait à une petite expérience? suggérai-je.

— Laquelle?

— Tu sais, les hyènes, elles ont découvert très vite les corps de Mohammed et de Saye. On pourrait vérifier le temps que ça prend pour qu'elles flairent un cadavre.

— À quoi ça nous avancera?

— Simple curiosité. Les hyènes, chaque fois, sont arrivées bien avant les villageois.

— Mais si ce sont elles qui ont tué les?...

— Les policiers affirment que ce sont elles, sauf que maman croit le contraire. Elle prétend que les inspecteurs venus de Banfora n'ont pas envie de se taper l'enquête.

Mamadou réfléchissait à mes arguments. Je savais qu'au fond de lui il estimait également suspectes les blessures infligées aux deux cadavres. Et peut-être se demandait-il ce qu'on ferait de notre après-midi si on ne s'amusait pas à réaliser ma petite expérience.

Carcasse du varan sur les épaules, nous nous éloignâmes en catimini en direction de l'allée d'euphorbes qui marquait la limite à ne pas franchir seuls. Devant nous se déroulait la piste poussiéreuse qui menait aux champs irrigués. La savane se perdait à l'horizon, au pied de la silhouette bleutée de la colline. Autour de nous, les hyènes pouvaient se dissimuler derrière le moindre talus herbu.

— Le corps de Saye a été trouvé à moins de cent mètres d'ici, m'apprit Mamadou en indiquant un point entre deux acacias.

— Posons le varan sur la pierre, là-bas, proposai-je, et grimpons dans l'arbre pour nous cacher et surveiller.

— Et si les hyènes nous repèrent?

Je le regardai, interdit. Je n'avais pas pensé à ça.

— Est-ce qu'elles grimpent aux arbres, les hyènes?

— Non.

— Bon, remplis tes poches de pierres et moi, je me cherche un bon bâton. Si jamais elles tentent de nous attaquer...

À treize ans, les risques ne nous apparaissent jamais aussi grands, et les solutions les plus simples, pour ne pas dire les plus simplistes, nous semblent toujours adaptées aux circonstances. Mamadou et moi considérâmes que la plus grande complication potentielle de notre expérience était que les hyènes, respirant notre odeur, refuseraient de s'approcher.

Nos craintes n'étaient pas fondées. Vingt minutes à peine après nous être perchés dans la coupe où se rejoignaient les branches de l'acacia, à moins de cinq cents mètres, des mouvements dans les herbes attirèrent notre attention. Des silhouettes trapues et tachetées se distinguèrent entre les tiges sèches des graminées.

— Elles ont le mufle en l'air, remarqua Mamadou; elles sentent la carcasse du varan.

— Crois-tu qu'elles nous sentent aussi?

— Mais non, il ne vente pas. De plus, elles ne voient pas à deux mètres tant elles sont myopes.

Mamadou dodelina de la tête, puis me regarda en chuchotant:

— Par contre, elles ont l'ouïe très fine, alors bouclons-la.

Cinq formes caractéristiques, à la croupe écrasée et au cou trop large, progressaient en lignes brisées, les narines frémissantes. Nerveuses, les bêtes avançaient à pas mesurés, leur pelage gris brun se détachant sur le blond des herbes. Quatre d'entre elles devaient bien mesurer près de deux mètres de longueur et cent centimètres au garrot. Des monstres!

— Elles sont énormes, murmurai-je malgré moi en constatant combien dérisoire était l'arme dans mes mains.

— Quatre femelles, dit Mamadou qui, lui non plus, ne respectait pas notre clause de silence. La plus petite est sûrement un mâle.

— Et elles doivent être drôlement affamées pour se risquer comme ça en plein jour, à la recherche de nourriture, au lieu d'attendre le soir.

Je déglutis en silence sans juger opportun de préciser qu'elles étaient soit très affamées, soit hyper agitées par le virus de la rage.

Attirées par l'odeur du varan, les bêtes s'approchaient de la pierre, et de l'arbre, avec une assurance toujours plus marquée. Je m'efforçais d'analyser la situation avec le plus de détachement possible, sauf que la peur commençait à troubler mon jugement. Je me demandais si, en signalant notre présence aux monstres, nous les effraierions et les éloignerions ou si, au contraire, nous les attirerions davantage sur nous.

Je trouvais que nous représentions, Mamadou et moi, des proies bien faciles pour ces puissants prédateurs. Dans le tremblement de la main que mon ami bobo tentait de réprimer contre l'écorce de l'acacia, je conclus que les mêmes doutes devaient le tourmenter.

Tout à coup, avec un synchronisme étonnant, deux hyènes s'arrêtèrent en dressant les oreilles. Les trois autres se figèrent. Elles relevèrent encore plus leur museau camus pour humer les effluves de la savane brûlante. L'une d'elles finit par émettre un gloussement et toutes les cinq s'éclipsèrent dans les herbes pour disparaître là où elles étaient venues. Visiblement effrayées, elles n'avaient même pas pris le temps de s'emparer de la carcasse du varan presque à portée de mâchoires.

— Crois-tu qu'elles nous ont sentis? demandai-je sans

pour autant descendre de l'acacia.

— Non, répondit Mamadou. Je pense plutôt qu'elles entendaient quelque chose.

— Là-bas! Regarde!

Sur la piste poussiéreuse se distinguaient les silhouettes encore floues de deux hommes. À leur côté, un baudet trottinait en tirant une charrette.

— Ce sont les oblats, chuchota Mamadou qui, décidément, avait une meilleure vue que la mienne.

— Restons cachés; ils seraient bien capables de nous dénoncer.

— Eux non plus ne sont guère respectueux des règlements, constata Mamadou. Ils devraient se déplacer à quatre sur la piste.

— Penses-tu que les hyènes vont leur sauter dessus?

— Bien sûr que non. Elles fuyaient dans les fourrés; ce n'était pas pour s'y tapir.

À mesure que les oblats approchaient, nous constations qu'ils conversaient de façon très animée et que l'un d'eux retenait sa colère avec peine. Ses mains s'agitaient en tous sens pour appuyer ses paroles qui résonnaient dans l'air mat du midi torride. Les premières bribes de la conversation nous parvenaient en phrases éparses et incomplètes.

— … vrai, quoi!… problème avec… considération… foutus paysans!

Le second oblat approuvait en hochant la tête.

— ... ploucs! Et si nous... alors, comment veux-tu que les fidèles... à la fin? Et ces... crétins... qui n'ont... les musulmans! Comment le Saint-Père croit-il que nous pourrons tenir... et que les dévots ont déguerpi?

— Le problème vient de ces maudits musulmans, c'est sûr, supposait l'oblat plus modéré qui tentait de calmer l'emportement du premier. Ils prenaient plaisir à nous... dans les roues.

— Ce n'est pas certain! répliqua l'oblat que j'avais déjà vu chez le vieux Dadouma. On pensait que, débarrassés de ces deux gêneurs, il n'y aurait plus qu'un obstacle facile à contourner: convaincre le marabout de laisser faire sa fille.

— On le croyait, approuva l'autre en hochant la tête pour mieux marquer son accablement.

— Eh non! Voici que se produit l'effet inverse: on restreint les déplacements dans le secteur. Plus possible de permettre aux gens de pique-niquer sur la colline.

Ils passèrent à la hauteur de la carcasse du varan sans même la remarquer. De notre position, nous voyions la tonsure du plus grand qui perlait de sueur.

Tandis qu'ils poursuivaient leur conversation échauffée, je n'écoutais que d'une oreille, paniqué à l'idée que l'un d'eux nous aperçoive sur notre perchoir. Je gardais les paupières à demi-fermées, comme si cela pouvait réduire l'impact d'un regard sur nous. Ils doublèrent bientôt l'acacia sans se douter de notre présence et en continuant à vitupérer.

— On devrait expédier tous ces païens en enfer! rageait le plus grand. Après les musulmans, pourquoi pas les animistes?

— Il y a également ce fichu espion envoyé par le Vatican.

— Les hyènes pourraient bien le trouver, lui aussi.

— Dieu nous bénira, j'en suis convaincu.

— La Vierge, tu veux dire.

— La Vierge, oui.

— Il ne nous manque plus qu'à... foutu marabout!

— Et ce... village! Comment il s'appelle, déjà?... Tu sais, le...

— Ouendé, qu'il s'appelle, le... Il nous... avec... pour...

— Oui, et... s'il...

À mesure que leurs voix décroissaient, Mamadou et moi nous sommes regardés, silencieux, front soucieux, pesant les lourds sous-entendus des propos des religieux.

— Ils... ils ont tué Mohammed et Saye, finit par balbutier Mamadou en confirmant de la sorte ma propre conclusion. Et ils conspirent pour se débarrasser de Dadouma et de Ouendé.

— Et de padre Angelo.

Mamadou, comme s'il s'éveillait soudain, s'appuya aux branches pour sauter à terre.

— Vite! lança-t-il. Avertissons tout le monde!

— Mamadou, attends! protestai-je alors qu'il était déjà au sol et qu'il s'apprêtait à s'élancer sur la piste.

— Quoi? Dépêche-toi!

Un détail qui me paraissait pire que les meurtres supposés me préoccupait.

— Mamadou, comment expliqueras-tu qu'on était perchés dans un arbre en dehors des limites permises?

***

Il nous fallut un moment pour atteindre le village, parce que je ne courais plus aussi vite qu'avant et que nous dûmes nous arrêter deux fois pour me permettre de retrouver mon souffle. À mesure que la journée avançait, je sentais mes forces décliner et je commençais à me demander si je ne devais pas plutôt retourner à la maison.

Lorsque nous traversâmes l'enceinte en banco qui marquait la périphérie des premières cases, personne ne parut remarquer que Mamadou et moi arrivions de la zone interdite sans être accompagnés.

Tandis que nous nous dirigions vers la hutte du marabout, nous repérâmes l'arrière de la charrette des oblats qui pointait entre un mur de terre et un grenier à mil. Quoique nous ne pussions encore les apercevoir à cause des cases qui nous bloquaient la vue, nous reconnûmes les religieux.

— Dadouma, tu dois comprendre que Sanou a été choisie par Dieu et que c'est un très grand honneur pour elle… et pour toi.

Devant le mutisme volontaire du marabout, l'oblat insistait en évoquant les grâces divines et les autres gratifications célestes qui auraient fait bondir maman si elle avait été là pour les entendre.

Nous débouchâmes dans la cour où la troisième épouse du vieil homme était affairée à mélanger la pâte pour le *tô*, un mets local visqueux composé de farine de mil ou de sorgho. Elle nous accueillit d'un sourire et d'un mouvement des sourcils moqueur en désignant les religieux, plus loin.

Dadouma était à l'ombre de l'éternel kapokier, son œil valide fixé sur la terre, sourd, semblait-il, aux réclamations de l'oblat. Ce dernier, debout en dépit des traditions comme il en avait l'habitude, poursuivait son boniment, ses bras effectuant de larges tourniquets pour appuyer ses assertions, ressemblant à un immense oiseau noir incapable de prendre son envol. À ses côtés, son acolyte soutenait chaque affirmation d'un hochement de tête.

— Tu dois rappeler le conseil des anciens, exigeait l'oblat, et les convaincre de lever l'interdiction d'aller dans la savane. Sanou doit pouvoir y retourner. Depuis une semaine, maintenant, de pauvres vieux dévots viennent chaque jour attendre Sanou en vain. Ils vont se lasser, Dadouma. Ils vont rentrer dans leur pays.

L'affirmation eut pour effet de secouer le marabout qui regarda le religieux.

— Que fabriquent ces gens dans la colline alors que les hyènes rôdent, affamées, et répandent la rage?

— Ça, ce sont les fables des médecins blancs! répliqua l'oblat sans avoir noté que je l'observais à l'écart. Ils exagèrent les dangers de la brousse. Qu'est-ce qui nous prouve que les hyènes sont responsables de la mort des deux musulmans?

— C'est la conclusion des policiers de Banfora.

— Moi, je soutiens que les tenants de l'islam, c'est la Vierge qui les a ôtés de son chemin… bon, d'accord, en se servant des hyènes. Peut-être veut-elle éliminer ceux qui forment obstacle à sa présence, aux messages qu'elle veut livrer par les yeux et la bouche de Sanou.

En dépit de la distance, je perçus le feu qui alluma le regard du marabout. La menace à peine voilée l'avait fouetté plutôt qu'abattu. Il se releva sans même s'appuyer sur son bâton.

— Je croyais que votre Dieu et sa Sainte Mère étaient infiniment bons? grinça-t-il.

— Ils le sont, rétorqua l'oblat sans paraître se démonter, mais ils ne sont pas infiniment patients.

Utilisant son bâton comme un pivot, Dadouma tourna le dos aux religieux et, avant de les abandonner pour clopiner vers sa case, conclut:

— Dans ce cas, avisez vos dieux, vos anges et toute votre population céleste que, s'ils désirent parler à ma fille, ils devront se déplacer jusqu'au village, car mon enfant n'ira plus sur la colline.

8

Au moment de quitter le village et de m'en retourner à la clinique, j'étais accompagné de Mamadou et de Babouka — un de ses frères aînés — ainsi que de Sangoulé.

Le soleil déclinant teintait la savane d'une lumière cuivrée, et la fournaise qui s'apaisait annonçait le réveil des prédateurs qui bientôt se mettraient en chasse.

De façon désinvolte, je m'étais emparé d'un gourdin que j'utilisais telle une canne trop lourde, mais qui, en réalité, me rassurait au souvenir de la taille imposante des hyènes aperçues dans l'après-midi.

Tandis que Babouka et Mamadou ouvraient la marche en discutant avec enthousiasme en dioula, je me laissai lentement distancer. Fatigué, je n'arrivais pas à maintenir leur allure.

Sangoulé en profita pour se rapprocher de moi en me présentant ses longues incisives dans un sourire. Ses arcades sourcilières proéminentes creusaient une ombre prononcée dans son visage, accentuant davantage la cachexie de ses traits.

— Je t'ai vu, l'autre jour, dans la savane, amorça-t-il avec une emphase insolite, comme s'il y avait là matière à s'émouvoir.

Je supposai qu'il cherchait à meubler la conversation.

—Ah? répliquai-je à mon tour en m'efforçant de marquer de l'intérêt pour l'information. Je... je présume que... je passais par là.

— Tu as porté secours à la Soungoroni.

Je l'observai un instant tandis qu'il continuait à dévoiler ses incisives. Il me fixait en retour sans regarder devant lui. Nous marchions d'un pas égal, synchrone.

— Étais-tu près? demandai-je.

— À vingt pas, caché dans les herbes.

— Avais-tu vu les enfants?

— Oui.

— Pourquoi n'es-tu pas intervenu?

Le sourire s'éteignit un peu.

— Moi, je n'aurais pu que détourner les pierres dans ma direction; toi, les enfants t'ont obéi.

Je le quittai des yeux un moment. Mamadou et Babouka dialoguaient toujours. Je me demandais si je devais mépriser la peur de Sangoulé ou, au contraire, m'émouvoir de sa faiblesse, de son état de souffre-douleur.

— Tu es quelqu'un de gentil, insista le grand benêt. Je

t'aime bien; je veux être ton ami.

Je le regardai de nouveau.

— À quoi jouais-tu, caché dans les herbes, Sangoulé?

Son pas se désynchronisa d'avec le mien et son sourire s'éteignit. Dans un tic qui trahissait son embarras, il enfouit sa lèvre inférieure sous la ligne trop avancée de ses dents.

— Pourquoi te cachais-tu?

Il fixa le ciel en fronçant les sourcils, comme étonné de voir le vautour qui planait en direction de la colline. Ses enjambées s'élargirent, à tel point qu'il rejoignit bientôt Mamadou et Babouka, me laissant seul derrière à ne pouvoir suivre leurs pas.

***

Encore une fois, autour de Dadouma et de Ouendé, s'était formé le conseil des notables et des anciens du village. La rencontre n'avait pas lieu comme à l'accoutumée sur la place principale; le sujet à débattre commandait la plus grande discrétion.

Les hommes étaient réunis dans le salon de notre demeure, où la bonne servait thé, boissons gazeuses et petits gâteaux. Ils étaient une dizaine à se gaver de sucreries et à se donner des airs d'importance.

Il y avait aussi papa et maman qui participaient à la

réunion en tant qu'hôtes, mais dont la voix ne compterait pas à l'intérieur d'un vote. Toutefois, s'ils désiraient émettre leur opinion, la politesse exigeait qu'on les écoutât. Telle qu'on la connaissait, maman ne se privait pas de ce privilège.

La moitié des interventions avaient lieu en français. Dadouma servait d'interprète pour mes parents s'il considérait d'importance la remarque d'un notable.

La séance devait établir si les oblats représentaient désormais une menace pour la communauté, s'il fallait les tolérer ou leur interdire d'emprunter les pistes qui menaient à la colline.

Padre Angelo et moi, discrètement assis dans un coin de la pièce, assistions aux débats en simples spectateurs.

Depuis le début, les anciens ne se privaient pas pour étaler leur exaspération au sujet des prosélytes. Par respect pour Dadouma, on évitait à dessein de mêler la Soungoroni au ressentiment et à la grogne. Cependant, il était clair qu'aucun villageois, en dépit des revenus générés, ne désirait revoir les pèlerins sur la colline.

À les écouter échanger, je me demandais s'il n'était pas de mon devoir, malgré l'accroc à la tradition, de les informer de la conversation que Mamadou et moi avions entendue. La crainte d'avoir à expliquer notre présence dans l'acacia me retenait lorsque, à mon grand soulagement, Dadouma annonça:

— Je crois que les oblats sont responsables de la mort de Mohammed et Saye.

Je sentis padre Angelo se crisper. Même s'il éprouvait de l'antipathie envers les frères de la Congrégation des chrétiens d'Afrique, il ne se résignait pas à l'idée que des religieux aient pu user du meurtre pour parvenir à leurs fins. Néanmoins, il eut la délicatesse de ne pas intervenir.

— Je le crois aussi, approuva un vieux paysan au nez si large que je voyais dépasser ses narines de chaque côté de la tasse. Les oblats ne veulent pas des religions concurrentes qui nuisent à leur commerce.

— Ça, c'est sûr, approuva Ouendé.

— Si aucune nouvelle mort suspecte ne survient, suggéra papa de son ton habituel, calme et posé, il est inutile de chercher à convaincre les autorités d'arrêter un coupable. Toutefois, je vous concède qu'il est nécessaire de reconnaître que les oblats et les hyènes représentent un certain danger afin de déterminer les règlements qu'il faudra abolir, maintenir ou modifier dans le village et les environs.

Dômèseo, un grand maigrelet au visage craquelé tel le lit d'un oued au milieu de la saison sèche, leva un doigt osseux. Tout le monde se tourna dans sa direction, pensant qu'il demandait la parole, mais c'était uniquement parce qu'il hésitait sur le gâteau à choisir sur le plateau devant lui. Il se décida enfin et parut tout à coup surpris de l'intérêt que chacun semblait lui manifester.

— Je considère, rentama Dadouma tandis que l'attention revenait sur lui, que pour les dix prochains jours il nous faudra maintenir l'interdiction de circuler seul en dehors du village. Si, passé ce délai, les hyènes n'ont pas fait plus de victimes, nous pourrons assouplir les mesures. Cependant, personne ne devra entretenir de relations avec les religieux…

Il s'interrompit, son œil sur la table, un peu mal à l'aise, ayant oublié pendant une seconde la présence de padre Angelo. Incertain de devoir s'excuser, il feignit de toussoter, puis poursuivit comme si de rien n'était.

— … avec les oblats, tant que nous ne nous serons pas réunis de nouveau pour déterminer les politiques à suivre.

— Je crois que c'est là une sage décision, approuva maman en posant une main affectueuse sur le bras perclus d'arthrose. De plus, il est bon que vous continuiez de retenir Sanou, non pas pour l'exemple, mais bien pour sa propre sécurité… tant physique que mentale.

Dadouma ne parut pas offensé par la main sur son bras. Sans lever les yeux, il eut un simple soubresaut de la tête en guise de connivence.

— Dadouma, articula Ouendé en prenant un air très solennel, n'as-tu pas des fétiches à fabriquer qui protégeraient le village? N'as-tu pas des maléfices à jeter sur ces oblats pour les éloigner de nous?

Je vis la main de maman se crisper une seconde sur le bras du marabout puis se retirer vivement. Papa, lui aussi, releva le menton un peu brusquement. Sans doute à cause de leur formation scientifique, mes parents ne parvenaient pas à s'habituer aux incantations et au spiritisme. Dadouma pinça les lèvres dans une expression farouche.

— Le fétiche est déjà camouflé sur la route qui mène à la chapelle, avoua-t-il, et le maléfice a été confié à l'esprit de mon aïeul.

Pendant quelques secondes, un lourd silence s'abattit sur l'assemblée. Les mouvements s'étaient figés, et plus personne n'osait regarder plus haut que la table. Dômèseo plongea la main vers un autre gâteau et rétablit le conciliabule en déclarant:

— Si nous devons évaluer les dangers qui nous menacent, vous devrez vous méfier pareillement d'un certain villageois.

Tous l'observèrent encore une fois pendant qu'il ouvrait une bouche démesurée et engouffrait un carré couvert de glaçage au chocolat. De ses mâchoires édentées, il prit le temps de bien mastiquer, puis suça avec application les reliefs sucrés qui maculaient ses doigts. Puisqu'il ne précisait pas sa pensée et continuait à ignorer les prunelles qui le dévisageaient, j'estimai qu'il entretenait l'attente exprès.

— De qui parles-tu? s'impatienta finalement Ouendé. Qui ne pouvons-nous *confiancer* au village?

— Un garçon qui semble si innocent, répliqua Dômèseo tandis qu'il soulevait de nouveau l'index en fixant le plateau de gâteaux, que personne ne soupçonnerait la malice dans son cœur.

— Qui? insista le vieux aux narines larges.

— Un garçon qui a toutes les raisons du monde d'avoir détesté Mohammed et Saye. Qui a subi leur mépris et même leurs coups.

Les sourcils se froncèrent, car chacun comprenait que le vieux Dômèseo aimait à embrouiller son propos pour le simple plaisir de l'attention suscitée. Il était évident que le vieux paysan n'avait pas souvent l'occasion de se rendre intéressant.

— Un garçon, poursuivit-il, qui vient parfois m'aider autour de mon champ et qui était absent du village les deux fois où l'on a ramené des cadavres à leur mère.

— Tu portes des accusations graves, Dômèseo! le prévint Dadouma. Tu te tais ou tu révèles qui tu soupçonnes, mais, par les ancêtres, cesse de jouer aux devinettes.

Le paysan posa les yeux de façon théâtrale sur chacun des anciens du conseil.

— Sangoulé, laissa-t-il tomber.

Et il engouffra un autre gâteau.

9

Padre Angelo était assis à l'ombre sur un banc en bois de fromager. Adossé au mur de banco d'une case, il feuilletait un gros bouquin. Tout à sa concentration, il ne remarquait pas, à trois pas de nous, la dizaine d'enfants qui l'observaient en gloussant.

Dans une cour voisine, une fillette de douze ans, enveloppée d'un boubou trop grand, écrasait le mil au fond d'une jarre. Dans un balancement régulier, son dos se cambrait en soulevant un lourd pilon qu'elle laissait ensuite retomber. Non loin d'elle, une femme chargée d'un bébé attaché sur les reins triait des fagots qu'elle vendrait ensuite au marché local.

J'étais recroquevillé à l'ombre d'un calebassier voisin, la tête bourdonnante et les jambes flageolantes. Le matin, pourtant, je m'étais senti en forme.

— Padre.

Le prêtre se retourna; maman émergeait de la hutte

derrière lui, vêtue de son sarrau de médecin. Elle avait les yeux fatigués, mais rayonnait de contentement.

— Sanou ne veut pas vous voir.

Les épaules de l'homme s'affaissèrent un peu.

— On croirait que ça vous fait plaisir.

— Consolez-vous; elle refuse aussi de rencontrer les oblats. Pour elle, les religieux catholiques sont en train de lui dérober sa «belle dame blanche».

— N'empêche, ça vous fait plaisir, insista-t-il avec une moue boudeuse.

Maman posa une main affectueuse sur son épaule.

— Ce qui me plaît, se réjouit-elle, c'est que cette visite ne devait être qu'une simple approche, un premier contact avec l'adolescente. Je ne devais m'assurer que de sa bonne condition physique...

— Et?

— Et elle a déjà soulevé un voile sur le mystère de la Madone.

— Vraiment?

Maman jeta un œil dans ma direction et baissa le ton; malgré tout, je continuai à distinguer ses paroles. Elle se plaça un peu à l'écart des enfants en les invitant à aller jouer plus loin. Devant la froide autorité de ma mère, les bambins s'exécutèrent. Elle dit à padre Angelo:

— Sanou possède dans ses articles personnels des tas d'images pieuses, des feuillets, et même une monographie de la Vierge Marie. J'y ai déniché, et c'est formidable, quatre ou cinq livrets sur les apparitions de la Vierge dans le monde.

«L'adolescente a glané ces brochures au fil des ans, à la chapelle qu'elle a visitée, des mains de missionnaires qui ont parcouru les villages, ici et là au gré des échanges qui ont lieu entre paysans. Rien de mystérieux. Je crois que notre visionnaire a transposé dans son esprit les représentations de pureté que véhicule le culte de la Vierge Marie avec sa peau blanche et ses yeux clairs.

«Le rejet dont elle est victime depuis toujours se justifie dans un "éloge de la différence" où le blanc, couleur de l'albinos, exprime le bien, la bonté, la vie... et non pas le monde des morts comme chacun ici le prétend. Sa souffrance et sa volonté de réfuter les croyances des villageois, et de son père surtout, l'ont rendue victime d'aperceptions.»

— Vous aussi, vous pouvez parler avec des mots qu'on ne comprend pas.

Dans un geste qui lui devenait familier, maman donna une tape vigoureuse sur l'épaule de padre Angelo. Elle souriait en se mordant les lèvres; il y avait longtemps que je n'avais noté autant d'exultation chez elle. Dadouma et Dao lui avaient demandé d'estimer l'état de leur fille maintenant que, depuis des jours, elle n'avait plus le droit de se rendre sur la colline et qu'elle n'entretenait plus de contacts avec les oblats.

— Dites-moi, poursuivit padre Angelo, dans les récits de mariophanies que vous avez trouvés dans la case de Sanou, avez-vous remarqué s'il y en avait un en particulier à propos de Notre-Dame de Soufanieh, apparue à Damas, en Syrie.

— Hum... hésita maman en posant un index sur ses lèvres, je pourrais vérifier à ma prochaine visite. Notre-Dame de Soufanieh, ça ne me rappelle rien, quoique j'aie noté un truc au sujet de Damas, oui. La Syrie, j'ai remarqué.

— Dans ce cas, s'emballa le religieux en pianotant sur son gros livre, vous serez encore plus ravie d'apprendre que le message de la Vierge transmis à Sanou lors des faits apparitionnaires d'il y a quelques jours est, mot pour mot, un message de Notre-Dame de Soufanieh, livré le 24 mars 1983 à la voyante Myrna Nazzour.

— Je tiens la guérison de cette petite entre mes mains! jubila maman.

— Je tiens ces maudits oblats! laissa échapper le prêtre avant de se rattraper. Je veux dire, je vais détromper ces pauvres oblats obnubilés par leur ferveur aveugle.

— J'avais compris, conclut maman en se pinçant les lèvres pour ne pas pouffer.

Se tournant enfin vers moi, elle lança:

— Viens-tu, Manuel? On va retrouver...

Son visage s'effondra soudain tandis qu'elle se précipitait vers moi.

— Hé! ça va, bonhomme? Comme tu es pâle tout à coup.

Je venais de glisser contre le tronc du calebassier; je n'avais plus la force de rester assis. La fièvre, aussi violente que subite, une fois de plus me terrassait.

Mon corps se vida de son énergie telle une outre qu'on viendrait de percer. Un froid polaire me couvrit et je me mis à claquer des dents. Maman me parut embrouillée comme dans un songe. Je distinguai un serpent qui ondulait entre elle et moi avant de comprendre qu'il s'agissait de son stéthoscope.

Dans le bourdonnement qui emplissait mes oreilles, je l'entendis appeler papa qui se trouvait plus loin, dans l'enceinte réservée à la case de Dadouma. J'appuyai ma tête contre le coude d'une racine qui crevait le sol. Deux calebasses bien vertes pendaient au-dessus de moi, au milieu du feuillage et des trouées de ciel bleu.

Je demeurai ainsi à tenter d'évacuer le froid en moi, à sentir les doigts experts de ma mère qui tâtaient ma chair et cherchaient le mal.

Et, soudain, les yeux rouges vrillèrent les miens! Ils étaient là, pareils à deux tisons ardents, au milieu d'un visage rose, brossé des traits jolis d'une adolescente bobo.

Ce n'était pas un rêve; la Soungoroni avait quitté sa

hutte et était à côté de ma mère. Sa main d'un blanc rosé se posa sur ma joue et j'en ressentis aussitôt une intense chaleur qui m'enveloppa. Ce fut tel un soir de brise froide, quand on grelotte dans ses draps et qu'on remonte une lourde couverture de laine.

Sanou ne souriait pas. Toutefois, ses paupières à demi-fermées, ses traits tranquilles exprimaient une douceur bienveillante. À la peur succéda une quiétude que j'ai rarement connue. La main de Sanou restait sur ma joue et je fermai les yeux pour mieux apprécier la chaleur de son effleurement.

— C'est ton petit? l'entendis-je demander à maman comme si elle était beaucoup plus âgée que moi. Je le connais. Il a déjà essayé de me défendre.

Maman ne répliqua rien et Sanou poursuivit:

— Je vois bien qu'il est très malade; il lui faut le pouvoir des *yapèrlè*. Laisse mon père taper la terre pour lui… et je te laisserai trouver la dame blanche dans ma tête.

***

— En minyanka, de même qu'en bambara et en dioula, on dit: *ninyè tio*. Taper la terre. Ce sont les géomancies qui nous mettent en contact avec les esprits.

Dadouma parlait tout en disposant d'étranges objets sur le sol devant lui. Il était assis en tailleur, la tête enveloppée d'un chèche noir, le corps revêtu d'un boubou en basin marron foncé, aux dessins complexes. À son cou pendaient des gris-gris de plumes, de poils et d'os qui retombaient en désordre sur sa poitrine. À portée de sa main, attachée par une cordelette nouée à un piquet, une poule aux plumes noires picorait d'improbables grains sur la terre battue.

Un peu en retrait, de chaque côté du marabout, se tenaient papa et padre Angelo. Ni maman, ni Sanou, ni Dao n'avaient été admises auprès de nous. Les femmes n'avaient pas le droit de voir les *yapèrlè*, les fétiches.

Près de la couverture où j'étais étendu, Dadouma déposa avec déférence un fragment de poterie en terre cuite appelé «canari». Sur ce fragment, il attacha un petit sac en coton dans lequel il plaça des poudres de couleurs et de textures diverses qu'il manipulait avec une infinie précaution.

— Ce sont là des poussières extraites de racines de plantes, expliqua-t-il sans cesser de fixer ses mains qui manipulaient les poudres. Je tairai les secrets de leurs origines. Toutefois, elles sont très dangereuses pour qui ne sait pas les utiliser. Elles peuvent être de terribles poisons, mais aussi des répliques puissantes pour détruire qui veut vous détruire. On ne peut maîtriser le pouvoir d'un *yapèrè* si on ne maîtrise pas ses poudres.

Papa et padre Angelo échangèrent un regard inquiet. Aux poussières de plantes, Dadouma ajouta dans le sac de menus objets en métal dont je ne pus établir l'origine, et un osselet. Avant d'insérer ce dernier au milieu des autres ingrédients, il nous le présenta en déclarant:

— Ceci est la phalangette de l'index de mon grand-père. Cet ancêtre, que je vénère entre tous, sera l'âme de mon *yapèrè*.

Padre Angelo se signa en levant les yeux au ciel. Dadouma récita dans une langue étrange, venue des racines mêmes du dioula, des incantations magiques desquelles nous ne discernâmes qu'une psalmodie d'onomatopées sans signification. Il attacha ensuite le sac à l'aide de cordelettes et il donna à chacune le nom d'un djinn. Liée au canari, la partie nouée du sachet s'appelait *bòrè*, c'est-à-dire la bouche du *yapèrè* ou la tête. L'autre partie...

— Le cul du fétiche, expliqua Dadouma avec malice.

Le marabout prit alors un vieux couteau rouillé qu'il montra à papa d'un air solennel.

— Je vais maintenant prélever un peu de sang de ton fils.

— Heu... Si vous utilisiez plutôt ceci, proposa rapidement papa en extirpant de son sac en cuir une lame neuve d'un ensemble dont il se servait parfois comme bistouri.

— Si vous voulez, répondit le vieil homme sans saisir l'importance de l'échange.

Je vis la lame entailler le creux de ma main. La torpeur

dans laquelle je baignais escamota toute crainte ou douleur. Dadouma souleva ma paume au-dessus du *yapèrè* et laissa mon sang couler sur le *bòrè*. Ensuite, papa appliqua une gaze sur ma blessure pendant que Dadouma malaxait le sachet.

— Il faut bien imbiber les ingrédients du sang que le coton absorbe, souligna-t-il.

Puis, satisfait, il annonça:

— Voilà, le *yapèrè* est *wolokò*. Il a bu le sang de celui qu'il représente, il est «rafraîchi». Désormais, je peux soit créer pour ce fétiche un envoûtement mortel dont le Toubabou serait la victime, soit, au contraire, demander aux ancêtres de tuer pour lui le mal qui le détruit.

Dans le nouveau regard que papa et padre Angelo échangèrent dans le dos du marabout, je ne retrouvai pas d'enthousiasme débordant.

— Le fétiche est un diable, précisa Dadouma en croyant les rassurer. Ce n'est pas qu'un symbole habité par un djinn. C'est une entité spirituelle à laquelle on peut s'adresser comme s'il s'agissait d'une vraie personne. Il peut aider le petit, le protéger, faire ce que nous lui demanderons: attaquer ses ennemis, le venger si tel est son désir... Après un temps, si on arrête les sacrifices, le fétiche meurt.

— Voilà qui me soulage, laissa échapper padre Angelo.

— Je vais à présent procéder au sacrifice qui permettra d'inciter le *yapèrè* à détruire le mal qui ronge Manuel, le Blanc avec l'Afrique inscrite sur son visage.

En gestes peut-être maniérés pour se donner plus d'importance, le marabout prit entre ses doigts un triangle découpé dans une calebasse. Plus tôt, avec un stylet improvisé, il y avait gravé divers signes incompréhensibles. Il déposa le triangle devant lui et y parsema des poudres diverses et des cendres.

— Ce sont encore des poisons, professa-t-il en regardant avec son œil valide. Très dangereuses à manipuler.

Je commençai à me demander s'il n'essayait pas un peu d'épater la galerie. Toutefois, à voir la prudence avec laquelle il s'assurait de ne jamais disperser cette poussière, de vérifier qu'il n'en restait pas sur ses doigts, je ne doutai plus de la justesse de ses commentaires.

Penché au-dessus du morceau de calebasse, il se mit à réciter à mi-voix:

— *Klè*, ciel, il faut m'aider. Il faut m'aider pour que le *yapèrè* prenne bien mon poulet, pour qu'il donne bien la guérison.

Il versa un peu d'eau sur le sol près du canari et se tourna vers le poulet à côté. Il détacha la cordelette et amena devant lui l'oiseau qui se débattait à grands coups d'aile.

— Voilà *yapèrè*, voilà mon poulet noir, invoqua-t-il à

l'adresse du sachet devenu brun. Si j'ai fait quelque chose de mauvais pour vous, les ancêtres, si Manuel a fait quelque chose de mauvais pour vous, il faut nous pardonner. Il ne faut pas nous en vouloir, ni à moi ni à lui.

Puis, tenant le poulet de sa main gauche, sans égard aux plumes qui volaient en tous sens, il versa de sa main droite, sur la tête du *yapèrè*, toutes les poudres contenues dans le triangle.

— Voilà ton poulet noir, répéta-t-il au fétiche en soulevant l'oiseau par le cou. Voilà ton poulet; il faut le prendre. Je te donne à manger le sang. Donne à Manuel la santé qu'il n'a plus.

Et d'un geste vif et habile, il trancha le cou de l'animal à l'aide du bistouri de papa. Tandis que les pattes et les ailes s'agitaient en un dernier spasme de vie, Dadouma maintenait la plaie au-dessus du fétiche et imbibait d'encore plus de sang le sac déjà saturé.

— Regarde, me murmura-t-il avec douceur. Le sang coule dans la bouche du *yapèrè* et sur tout son corps. Maintenant, l'animal sacrifié se charge du *nyama*, de la force du fétiche.

Après de longues secondes, il jeta le poulet afin de le laisser agoniser sur le sol. L'oiseau, emporté par quelques soubresauts qui l'agitaient, roula sur lui-même, trépigna, rebondit, pour finalement mourir, le dos au ciel.

— Par les ancêtres! murmura Dadouma.

— Que... qu'y a-t-il? s'informa papa.

— Le *yapèrè* a refusé l'offrande.

Padre Angelo se signa de nouveau pendant que papa grimaçait en roulant les yeux d'un air un peu désabusé.

— Pourquoi, selon vous? interrogea-t-il, davantage par politesse que par véritable souci.

— Je ne sais pas.

— Eh bien, tant pis. Nous devrons...

— La force qui assaille le petit serait-elle trop puissante? suspecta Dadouma sans tenir compte du fait que papa s'était déjà levé à demi. Effraie-t-elle les ancêtres?

— Qu'à cela ne tienne, nous...

— Ne soyez pas impatient, je n'ai pas à recommencer toute la cérémonie pour insister, coupa Dadouma. Donnez-moi ces noix de kola, voulez-vous?

Il désignait du doigt un bol dans lequel les fruits étaient amassés. Retenant un soupir et soulevant les sourcils à l'intention de padre Angelo, papa s'exécuta et se rassit.

— Pourquoi ne veux-tu pas mon poulet? demanda le marabout au fétiche. Est-ce que j'ai fait quelque chose qui ne va pas?

Il prit une noix de kola dans le creux de sa main et cracha dessus.

— *Tubisimilay*, susurra-t-il au fruit.

J'avais déjà entendu cette invocation. Il s'agit de la

déformation d'une expression arabe souvent utilisée en Afrique pour chasser les djinns et qui signifie: «Au nom de Dieu!»

Dadouma cassa la noix en deux morceaux qu'il jeta au sol. Les moitiés roulèrent un moment, puis se stabilisèrent, leur partie interne vers le haut.

— Ah, tout de même! laissa-t-il échapper non sans pousser un soupir de soulagement.

— Ça... ça va? lui demanda papa qui ne comprenait pas bien la symbolique du *ninyè tio*.

— Là, ça va, répondit le marabout en disposant les éléments devant lui selon un ordre que lui seul saisissait. Ça va. Le *yapèrè* a accepté le sacrifice; il va guérir le petit.

Papa posa sur moi un regard interrogateur en souriant d'un air soucieux.

— Et toi? Comment te sens-tu?

J'eus le temps de lui retourner son sourire avant de m'endormir d'un profond sommeil sans rêves.

10

Je dormis une trentaine d'heures sans m'éveiller une seule fois.

Lorsque je repris conscience, je savais que c'était gagné; le mal était vaincu. Était-ce dû au pouvoir des fétiches et des incantations? À la confiance seule qu'ils distillaient? Aux médicaments dont mon père me gavait depuis des semaines en espérant que l'un d'eux ciblerait le microbe? Au simple fait d'avoir enfin pu me reposer longuement, sans cauchemars... Qui le saura jamais?

Dans ma chambre assombrie par les volets fermés et d'épaisses tentures, je n'arrivais pas à déterminer si nous étions le jour ou la nuit. Aucun bruit ne me parvenait du dehors et la maison était silencieuse. Avec d'infinies précautions, je me levai sur les coudes, puis sur les fesses, et posai les pieds sur le plancher. Les étourdissements des jours précédents semblaient un souvenir.

Vêtu d'un simple caleçon, je saisis un t-shirt dans la

commode et l'enfilai. Je franchis les trois pas qui me séparaient de la porte de ma chambre et l'ouvris. Un flot de lumière vive se déversa et je retins ma respiration, comme submergé soudain par l'eau d'une baignoire qu'on renverse.

Le couloir était désert, mais j'entendais des bribes de phrases venant de la pièce du fond. Il s'agissait du bureau dont maman se servait parfois pour ranger des dossiers et procéder à des consultations hors de la clinique. Je m'y dirigeai à pas mesurés, encore un peu étourdi, réjoui à l'idée d'aller voir ma mère pour lui annoncer mon rétablissement.

En reconnaissant la voix de la personne qui lui parlait, je m'arrêtai sec. Un peu d'appréhension me noua l'estomac, et je choisis d'attendre un peu.

— Ce sont des accusations graves que tu portes là, disait ma mère.

— Vous pensez que je mens, Toubab?

Il y eut une seconde d'hésitation, puis ma mère répondit:

— Non, Sanou, je te crois. On ne ment pas sur un sujet de cette importance.

— Il est inutile de les dénoncer, n'est-ce pas?

— C'est inutile, en effet. Et même si cela s'avérait d'un quelconque intérêt, ce ne serait pas à moi de le faire. Ce que tu me confies est confidentiel.

Je me sentais indiscret de me tenir là, à leur insu, à entendre leurs confidences, sauf que je n'osais plus me présenter en leur laissant supposer que j'avais été témoin de la révélation de la Soungoroni. À l'inverse, je ne me décidais pas à retourner dans ma chambre. Peut-être fallait-il simplement reculer de quatre ou cinq pas, toussoter pour me manifester et continuer vers le bureau en appelant ma mère d'un air innocent.

J'en étais encore à considérer les deux options lorsque le bruit d'un poing sur le bureau retentit et que la voix de maman s'exclama:

— Mohammed et Saye! Quels beaux salauds!

J'entendis un crayon rouler et tomber sur le plancher de bois. Aucun mouvement ne m'indiqua qu'on cherchait à le récupérer.

— Ah oui! quels beaux salauds! répéta maman. Et ils se prétendaient de bons musulmans!

— Moi qui suis déjà perçue comme un esprit incarné, enchaîna Sanou, quel mari voudra de moi maintenant que je ne suis plus vierge?

— Personne ne le saura.

— Le soir des noces, l'homme qui m'aura épousée le découvrira bien. Il me répudiera; je serai une honte plus tragique pour mon père.

Il y eut un reniflement, puis Sanou poursuivit d'une voix traînante:

— Et...

— Et?

— Il y a eu un témoin.

— Qu'est-ce que tu racontes? Est-ce que quelqu'un a vu ces deux ordures te violer et ne les a pas dénoncés? Ne t'a pas défendue?

— Que pouvait-il faire? Il avait peur de ces deux gredins. De toute façon, personne ne l'aurait cru.

— Pourquoi?

— C'est Sangoulé.

Il y eut un silence où j'imaginais facilement maman, bouche bée, qui fixait une Sanou honteuse, le menton sur la poitrine.

— Sangoulé me suit partout, expliqua l'albinos d'une voix si basse que je commençais à avoir de la difficulté à entendre. À chacun de mes déplacements, je l'aperçois, au milieu des herbes, qui moule son pas au mien, m'observe... Il pense sans doute que je l'ignore.

— Il est probablement amoureux de toi.

— Très amoureux.

— Hum... nasilla maman avec une pointe d'amusement. Tu sembles en savoir un peu plus que tu ne veux me l'avouer. Est-ce qu'il t'a déclaré sa flamme?

— Non. Il a fait beaucoup mieux.

— C'est-à-dire?

— Il a prouvé à quel point il m'aimait.

Cette fois, l'amusement s'était dissipé lorsque maman parla:

— Précise, Sanou. Quelle preuve d'amour t'a-t-il?...

Il y eut un long silence. Je suppose qu'elles s'observaient et confrontaient leurs craintes, l'une se demandant si ses doutes se concrétiseraient, l'autre, si elle pouvait confier un secret si lourd. Ou peut-être, aussi, que Sanou gardait la tête basse, le regard fuyant, honteuse d'être la cause de plus de mal encore.

— Sanou, s'appesantit maman, sais-tu que, lors du dernier conseil des anciens, on a évoqué la possibilité que Sangoulé ait à voir avec la mort de Mohammed et Saye?

— Mais... mais non! protesta Sanou.

— N'es-tu pas en train de me confirmer toi-même que Sangoulé a?... Qu'il est celui qui?...

— Pas du tout! Sangoulé n'a pas une ombre de malice. C'est moi qui ai tué les deux musulmans!

Cette fois, pour moi, il n'était plus question de faire semblant d'arriver sans avoir entendu ni de revenir à la chambre pour ne plus être témoin des aveux de la Soungoroni. J'étais pétrifié par ce que j'apprenais. Je m'adossai sans bruit au mur et m'assis sur le plancher.

— Tu es... Tu as...

— C'est la dame blanche qui m'a contrainte à agir ainsi, reconnut Sanou d'une voix si basse que je perdis de nombreuses syllabes et que je dus reformuler les phrases dans ma tête pour les rendre cohérentes. Il y avait trop de mal en moi; trop de démons. Elle m'a affirmé que, pour retrouver la paix de mon cœur, pour apaiser les ancêtres qui me méprisaient, je devais tuer ceux qui m'avaient humiliée. Je les ai attirés chacun leur tour en un lieu isolé pour les transpercer de mon crucifix. Sangoulé, dans les herbes, m'observait. Jamais il ne m'a dénoncée.

— Sanou... Oh! mon Dieu!

La voix de maman était étouffée, comme si elle se tenait la main devant sa bouche.

— Tu vois, Toubab, c'est pour ça que je veux que tu trouves la dame blanche dans ma tête, que tu la sortes de là. Je ne veux plus qu'elle me commande quoi que ce soit. J'ai peur de ce qu'elle pourrait me demander la prochaine fois. Tu vois, Toubab?

***

Les premières pluies de la saison s'étaient mises à mouiller la savane. La nourriture et l'eau redevenues abondantes, les hyènes avaient disparu pour retrouver les profondeurs de la brousse. Avec leur départ avaient décru les cas de rage et avaient été levées les restrictions relatives aux déplacements.

Ce soir-là, le village s'était rassemblé autour d'un griot de passage, sous le kapokier. Hommes, femmes et enfants, mêlés comme à une grande fête, écoutaient ce troubadour traditionnel chanter les récits qui transmettaient aux jeunes générations les légendes anciennes.

Sangoulé cherchait encore à se donner de l'importance en traduisant aux villageois la partie des échanges en français. Padre Angelo était coincé entre le vieux Dadouma et Ouendé. Ensemble, ils venaient de partager un plat de *tô*. Le pauvre prêtre avait failli en mourir de dégoût. Même moi, je ne m'habituais pas à cette bouillie sans goût, à la texture rappelant... un rhume.

Papa et maman se partageaient entre les villageois qui voulaient tous se prévaloir de leur compagnie. On leur avait servi des verres de *dolo*, une bière à base de mil. À intervalles réguliers, un villageois passait près d'eux et portait un toast en cognant son gobelet contre le leur en s'écriant: «Kalamkoloungkalam!» Cette onomatopée symbolise le bien-être, la santé, car elle représente le bruit du pilon qui écrase le mil au matin. S'il y a du mil à piler, c'est qu'il y aura à manger.

Mamadou et moi, inséparables, nous étions joints à un groupe d'adolescents turbulents qui se moquaient davantage du griot qu'ils n'écoutaient ses histoires.

Deux sœurs de Mamadou — ou cousines, ou voisines — se disputaient le droit de s'asseoir près de moi. Elles s'efforçaient d'en débattre à mon insu, cela va de soi, avec force chuchotements en bobo. Toutefois, je n'étais pas dupe. Sans être attiré par elles, me sentir ainsi objet de convoitise n'était pas désagréable.

Cette soirée typique, brossée de couleurs locales, embaumée par la savane et les feux de cuisson, parsemée de rires, de chants et du djembé du griot, me persuadait qu'il n'y avait rien de mieux dans l'univers que cette terre d'Afrique que je voulais mienne.

Depuis que mon mal était vaincu, j'avais récupéré l'énergie qui sied à un garçon de treize ans et je retrouvais mes amis, mes fêtes, mon école et mes habitudes. Maintenant que j'avais subi un nouveau rite, qu'on avait relevé pour moi un autre pan des mystères de la brousse, jamais je n'aurais échangé ce monde, cette vie, contre celle d'un Québécois rivé à un poste de télévision ou à une console de jeux.

J'appartenais à l'Afrique et, toute ma vie, je voudrais vivre dans son ventre.

— Chef qui es ici, chantonna le griot à l'adresse de Ouendé, je te demande la permission de chanter.

Il tapotait du bout des doigts la toile tendue de son djembé en faisant balancer les amulettes d'os pendues à son cou. Le chef le regardait sans sourire, fidèle à lui-même. Il ne répondit pas. Le griot poursuivit:

— Je le demande à toi, à tes hommes et à tes ancêtres. Je le demande à nos ancêtres, à nos aïeux, à nos géniteurs, à ceux dont nous descendons, fils de leurs mères et de leurs pères. Je demande la permission de chanter aux enfants de Yota, la mère de Kouri, notre ancêtre.

— Il y a longtemps qu'ils sont morts, chantonna Ouendé sur un ton similaire. Ça, c'est sûr.

— Je demande à celui qui a suivi la permission de chanter. Je demande au valeureux chef du village, je demande à Ouendé, la permission de chanter.

— Chante, griot.

— Il y avait une araignée, commença le griot en entonnant un air qui s'apparentait au rythme que ses doigts imposaient au djembé. Cette araignée tombe amoureuse de trois princesses très jolies. Elle veut les épouser toutes les trois, mais le roi, leur père, refuse. L'araignée va donc se cacher dans un arbre près d'un sentier où les trois princesses ont l'habitude de se promener.

— C'est un conte lobi, murmura Ouendé à l'égard de padre Angelo.

— Ça, c'est sûr, se moqua Sangoulé, impunément.

— C'est qui, Lobi? s'informa le prêtre.

— C'est une ethnie, voyons! répondit Ouendé.

— Oh!

— L'araignée se jette par terre en bas de l'arbre, devant les princesses, continua le griot sous les yeux amusés des villageois. La croyant blessée, elles lui demandent comment l'aider. «Allez voir le marabout non loin», répond l'araignée. Pendant que les princesses se dirigent vers la maison du sorcier, l'araignée se précipite avant elles et se déguise en marabout.

Plusieurs regards se tournèrent vers Dadouma pour capter sa réaction. Le vieil homme riait à gorge déployée, exposant ses gencives édentées.

— «Ah, mais pour soigner la pauvre araignée, dit aux princesses l'araignée déguisée en marabout, vous devez coucher chacune une nuit avec elle.» Et c'est ainsi que, n'écoutant que leur bon cœur, les princesses passent à tour de rôle une nuit dans le lit de l'araignée.

— Stupides, les princesses! s'exclama une femme qui riait en se tapant sur les cuisses.

— Ce n'est pas tout, intervint le griot en accentuant la musique de son djembé. L'araignée raconte son histoire à la hyène et lui propose de profiter elle aussi de la naïveté des princesses. «Tu leur demanderas de venir voir le sorcier, explique l'araignée à la hyène, et je les attendrai ici, déguisée.» Ravie, la hyène grimpe dans l'arbre et, lorsqu'elle aperçoit les trois princesses, se laisse choir sur le sol.

— Aïe! s'écria un garçonnet dans un éclat de rire général.

— Oui, aïe! répéta le griot. La hyène, plus lourde que l'araignée, se fait très mal. Elle dit aux princesses: «Vite, courez voir le sorcier, là-bas, et demandez-lui un remède pour me guérir.» Les princesses retournent voir le marabout.

À ce point de l'histoire, le griot s'arrêta et montra les enfants avec son doigt. Il les interpella:

— Et qui était le marabout?

— L'araignée, répondirent-ils en chœur. L'araignée déguisée en sorcier.

— L'araignée dit aux princesses: «Pour guérir la pauvre hyène, il faut vous munir d'un bâton et la battre, jusqu'à ce que vous en soyez épuisées.» Et les trois princesses d'obéir aux directives de l'araignée et de battre la pauvre hyène qui ne comprend rien.

Les villageois croulaient de rire devant le dénouement naïf de la fable. Dans un conte lobi, l'araignée a toujours le beau rôle, et la hyène, le mauvais.

—Et c'est pourquoi les hyènes ont gardé le dos arqué, conclut le griot. À cause des coups de bâton.

— Raconte-nous plutôt une légende dioula! hurla un homme qui se balançait en buvant la *dolo*.

— Tout ce que je connais des Dioulas, rétorqua le griot en haussant les épaules, est que les filles, avant de se marier, doivent donner naissance à un bâtard pour les remplacer lorsqu'elles quitteront la maison de leurs parents.

Nouvel éclat de rire général qui sembla perturber un peu padre Angelo.

— Est-ce que… est-ce que c'est vrai, cette histoire? s'informa-t-il à Dadouma.

— Oui, répondit ce dernier en s'amusant visiblement. Un Dioula n'épouse jamais une fille vierge. Cela pourrait signifier que son ventre est sec.

Padre Angelo camoufla son trouble dans une longue gorgée de *dolo*.

— Et les Gourounsis? cria quelqu'un d'autre. Tu connais les coutumes gourounsis?

La réplique vint de derrière un groupe de villageois qui me masquaient la vue.

— Le futur marié, pour prouver sa bravoure, doit pénétrer dans la hutte de son futur beau-père et lui voler son caleçon.

Personne ne rit. Un silence lourd s'abattit sur la fête. Je me levai à demi dans l'espoir d'apercevoir la femme qui venait de parler quand, s'ouvrant un passage devant les villageois qui s'écartaient, parut la Soungoroni. Le griot eut un léger mouvement de recul lorsqu'elle vint se placer à son côté afin d'être vue par tout le monde.

Elle était vêtue d'un large boubou aux multiples couleurs, son foulard noué au-dessus de la tête en une coiffe recherchée. La peau rosée de ses épaules et de ses bras, sous la lumière des feux, jetait un reflet aussi satiné que le basin. Ses yeux, toujours rouges, traduisaient maintenant une sérénité bien loin de la hargne et de l'amertume qu'on y lisait avant. Elle s'exprimait également avec une voix adoucie, paisible.

— Je connais plusieurs autres histoires, poursuivit-elle, mais je m'ennuie à me les réciter seule dans ma case.

Elle désigna maman en levant un bras long et gracieux.

— La grande docteure toubab m'a appris qu'il était important pour moi de venir à vous, de vous rappeler que je suis comme vous, que je souffre comme vous, que j'ai mal comme vous… et que j'ai besoin de rire comme vous. Les images qui étaient dans ma tête et que je voyais tourbillonner autour de moi, elle a su m'apprendre à les souffler.

«Désormais, je ne veux vivre que parmi vous. Pour ça, il faut que vous aussi, frères et sœurs bobos, vous ayez envie que je me mêle à vos fêtes, à vos joies, à vos peines, et non que je reste seule dans une paillote à l'écart du monde. Ce soir, il faut que vous m'acceptiez dans votre monde de vivants et que vous ne m'abandonniez pas dans celui des esprits et des morts.»

Le silence qui suivit parut infini, immuable, comme si seul le déchaînement soudain d'une horde de djinns pouvait le briser. On n'entendait plus que le crépitement des feux qui brûlaient ici et là. Aucun homme, aucune femme ne bougeait, chacun semblant craindre que le premier à rompre cet instant d'immobilité s'imputerait la faute du mal qui déferlerait.

Maman épiait la foule en retenant son souffle,

consciente que ce va-tout tendre dont elle était l'instigatrice déciderait du sort de l'adolescente. Sur la joue de Dadouma, je vis couler une larme.

— Moi, je veux que tu restes parmi nous, Sanou.

J'étais concentré sur le marabout et je ne vis pas qui avait parlé. Il y eut quelques froissements de tissu, des gens qui se déplaçaient pour permettre à un grand gaillard efflanqué de s'avancer. Il se tint à trois pas de l'albinos, ses longues incisives pointant au-delà de ses lèvres.

— Je veux, moi, répéta Sangoulé d'un air timide qui le rendait un tantinet ridicule. Si les esprits ne veulent plus de toi au milieu d'eux, je veux bien que tu restes au milieu de nous.

Et il sourit en présentant devant lui, à bout de bras, un vieux pagne crotté.

— Dadouma n'a pas de caleçon, dit-il, mais j'ai dérobé ceci dans sa hutte.

La foule, telle la détonation concertée de mille canons, éclata de rire. Le visage hébété de Dadouma fixait le vêtement tandis que le griot se déchaînait sur la peau tendue de son djembé.

Quoique quelques femmes en retrait chuchotassent entre elles des propos que je devinais défavorables, les initiatives de Sanou et de Sangoulé attirèrent sur eux l'approbation de la plupart des villageois. En manifestations diverses, ils exprimèrent leur accord, certains offrant des noix de kola au marabout pour obtenir sa bénédiction. Dao apparut près de sa fille, les joues noyées de larmes.

Afin de secouer la torpeur de Mamadou et des autres garçons qui m'accompagnaient, je me levai pour tendre la main à l'adolescente. Elle m'accueillit avec un grand sourire, ses yeux rouges jetant sur moi une aura bienveillante. Elle serra ma main à la manière burkinabé, en posant la paume de sa main gauche sur son avant-bras droit. Les copains m'imitèrent et, pendant que je reprenais ma place plus loin, je croisai le regard de maman. Elle m'envoya un baiser avec les doigts.

Bien sûr, elle ignorait que je connaissais le secret de Sanou, et toutes deux s'étaient gardées d'en parler. Je me disais que, au fond, dévoiler la vérité ne pourrait rien apporter de satisfaisant au village.

Il y aurait eu ceux qui se seraient sentis scandalisés des agissements de Mohammed et de Saye, mais il y aurait aussi eu ceux qui les auraient excusés. Puis il y aurait eu les familles des deux garçons qui se seraient montées contre les actes de Sanou. Comment les en blâmer? Et il y aurait eu ceux, et surtout celles, qui auraient approuvé sa vengeance.

Ainsi, le village se serait trouvé divisé, déchiré. Non. Pour préserver la paix sociale, il valait mieux, assurément, que les crimes restent secrets et que les hyènes écopent de tous les maux. Assurément.

— Bien, bien, s'éleva la voix du griot. Chef qui es ici, je te demande la permission de chanter de nouveau.

— Ça, c'est sûr.

À partir de cet instant, la veillée reprit ses droits avec ses rires et ses joies. Sanou s'assit près de son père et Sangoulé se déblaya un emplacement, non loin. L'adolescente n'était peut-être pas encore exempte de quolibets ou de mésestime de la part de certains habitants, particulièrement ceux des villages voisins, mais je savais que dans la tiédeur agréable de cette nuit, assise aux pieds de son père ému, elle accédait enfin au monde des vivants.

Achevé d'imprimer
sur les presses d'AGMV Marquis